東京レトロ建築さんぽ

増補改訂版

倉方俊輔 著
下村しのぶ 写真

プロローグ

レトロ建築を楽しむために

レトロ建築とは？

独特のスタイルを感じるもの

今を生きる街の中に、現在とは違う世界への扉があります。それが「レトロ建築」。「レトロ建築」といっても、特定の建築様式やある年代に建てられたという定義はありません。それでは、どんなものが「レトロ建築」なのでしょうか。

「レトロ」だと感じるのは、そこに現在とは異なる「スタイル」を見つけたときではないでしょうか。「スタイル」とは、さまざまな要素が整えられて存在している状態。ピカピカではないけれど、独特のまとまり方を見つけた瞬間、「レトロ」が私たちに迫ってきます。そんな独特のまとまりを作り出した、今とは違う、建てられた当時の人々の生き方に気づきます。心をとりこにするのは、単に時代が昔だとか、立派だとか、有名な人が作ったということ以上に、現在とは違う一体感です。その中には、背景にある暮らしや場所との関係――さまざまな要素が、生き物のように溶かし込まれています。

言い換えると、「レトロ」とは「スタイル」があるもの。その物の奥に、今はいない人を感じてノスタルジックな気分になります。昔の暮らしにはスタイルがあったなぁ。そう憧れて、自分たちの暮らし方を見直させるなんてことも。

先に「レトロ建築」とは、特定の年代のものではないと言いましたが、本書では紹介する対象を近代、つまり幕末の開国（１８５４年）から第二次世界大戦が終わる（１９４５年）までに建てられた洋風建築としました。「現在と異なるスタイル」が「レトロ」だと述べたことが、この時期に最も当てはまるからです。

試しに《旧岩崎家住宅洋館》（左）を見てみましょう。今の住まいとは異なります。「洋館らしい」と感じる一

体感を持っています。

なぜ洋館らしいのでしょうか？　それは、今から１００年以上前に、意識的に洋館らしくデザインしたからです。これは最近になって「レトロ建築」と感じられるようになったのではありません。建った当時から、いわば「レトロ建築」。なぜなら、これが完成した19世紀末より前の時代のスタイルをお手本にしているからです。

過去をお手本に、一体感のある「らしさ」をまとったものが、立派な建築。これが日本が開国した頃の先進国、ヨーロッパの常識でした。アメリカでも植民地などでも同じでした。日本も、西洋と対等に話ができるようになるために、自分たち自身でそんな建築が建てられるようになろう。そう固く決意したのが近代という時代です。

レトロ建築の味わい方

見て・身を置いて・感じる

建築も、インテリアや小物と同じように「レトロ」な物の一つ。身構える必要はありません。街を歩いていて、自分が心惹かれたそれを、じーっと見る。建築の味わい方があるとしたら、それが始まり。

見つめているうち、自分がグッと来たのは、どの部分なんだろう。そんな問いに、答えが現れ始めます。豊かな装飾か、味わいある素材か、それとも凹凸による陰影のドラマなのか。本書で紹介している時代の建築は特にこれらの要素が強いので、ご注目ください。

一つではなく、かなりの数の要素が含まれているのも建築の独特なところ。さまざまな要素の整えられ方を意識してみると、気づくことが増えるはず。装飾と装飾の関係、素材と素材の取り合わせ、長さと長さのバランス……。最後のものは「プロポーション」と呼ばれて、古くから建築で大事にされてきました。複雑に見える建築でも、頭の中で単純な線で置き換えてみると案外、装飾や素材以上に、プロポーションの美しさを発見できることも。

だから、昔も今も、建築を設計する人は、旅先でスケッチを試みます。それはグッと来た要素を取り出すことで、自分のものにできるからです。上手い下手ではないので、皆さんもぜひ。

前に「見つめる」と言いました。でも、全体を一気に捉えられないのが、建築の面白さ。建物をくるくる回すわけにはいきませんし、さらに建築は内部を持っています。それが大抵は部屋などに区切られています。「空間」と言うのは、こうした区切られ方が作る空気のことです。幅や高さで決まりそうです。光の入り方や素材なども影響します。身体を委ねましょう。例えば《自由学園明日館》（右下）や《聖徳記念絵画館》（左上）のように、「見る」というより、「浴びる」ように。

　空間は外部にもあります。すくっと立つ壁が、街を心地よく区切ったり、例えば《立教大学》（左下）のように空の下で人が集まる安心感を生み出したり。意外と自分が最初に心惹かれた理由は、その建ち方かもしれません。建築が外部に作る空間に目を向けると、庭や街とどんな関係を取っているのかということにも思いを馳せられるでしょう。

　建築は一気に捉えられない。繊細な装飾から外に広がる街との関係まで、目と身体と頭が動き回って獲得した全体が、あなたにとっての「建築」です。それは全部が一度に、写真で撮れたり、図面に現れたり、文章に置き換えられるものではありません。そこを行き来した人々が身につけていた服装や振る舞い、ざわめきや静けさ、今はない周囲の風景にまで、自然に心移っていくはず。「レトロ建築」は、今を生きる街の中の、現在とは違う世界への扉です。

レトロ建築の役立て方

共感する「スタイル」を探そう

現在とは異なる「スタイル」で、「らしさ」を持った建築が「レトロ建築」

目白聖公会 聖シプリアン聖堂

だと言いました。それは、専門用語で「様式主義建築」と呼ばれます。

「様式」という言葉は、建築の世界では、ある地域の一定の時代に共通したデザインの仕方を表す際に使われます。例えば、中世の「ロマネスク様式」や「ゴシック様式」、その後15世紀に現れる「ルネサンス様式」といったように。

先ほどの《旧岩崎家住宅洋館》は「ジャコビアン様式」です。ジャコビアン様式というのは、ジェームズ1世の統治時代（１６０３〜２５）を中心にした呼び名。「様式」の定義は入れ子にもなっていて、これはイギリスのルネサンス様式の中の初期に当たります。

少し難しい話になりましたが、「様式」は英語にすると「スタイル（style）」となります。つまり、ファッションなどと同じ。どんなスタイルがふさわしいかは、状況や目的次第なのです。本書で紹介している近代、第二次世界大戦以前の社会を作り上げていたのは、そんな風に目的に応じて「らしさ」という一体感を作り出した「スタイル」を持った建築でした。

したがって、「レトロ」で雰囲気が

慶應義塾図書館旧館

あるのです。教会は教会らしく、学校も一目でそう分かり、百貨店は胸躍らせるようにデザインされました。働く場所もただの箱であってはなりません。社会を守る消防署や刑務所も、それぞれの役割を装いで誇っていました。

その後ろには、各人の個性から想像の翼をはためかせ、過去の建築には暮らしに根ざしたスタイルがあったなぁと憧れながら、そんな共感と現在の必要性とを組み合わせて、毎回、独自の一体感を生み出そうとしていた建築家たちの顔が見えます。そして、憧れに手を伸ばしたり、その対象であることを受け止め、「らしさ」の可能性を切り拓いていった人々も。

よって、一つ一つのあり方が大事です。建築も細部も、あるいは流れる空気も。「レトロ建築」と一括して片付けられないのが、レトロ建築。だから、私たちは本書を可能な限り、丁寧に編もうと思いました。

写真家の下村しのぶさんが新しいスタイルで撮り下ろした写真から建築がそばだてる声が聴こえ、生きた人や作った人も浮かんで、1ページ1ページがあなたなりの「スタイル」を見つけることに役立てば、嬉しいです。

建築史家　倉方俊輔

明治生命館

もくじ

I

上野・本郷エリア

II

銀座・丸の内エリア

III

IV

V

渋谷・目黒エリア

表紙 東京都庭園美術館
裏表紙 赤坂プリンスクラシックハウス

スタッフ
デザイン 芝 晶子
宮脇菜緒（文京図案室）
イラスト カワナカユカリ
編集 みよしみか
別府美絹（エクスナレッジ）

東京レトロ建築マップ

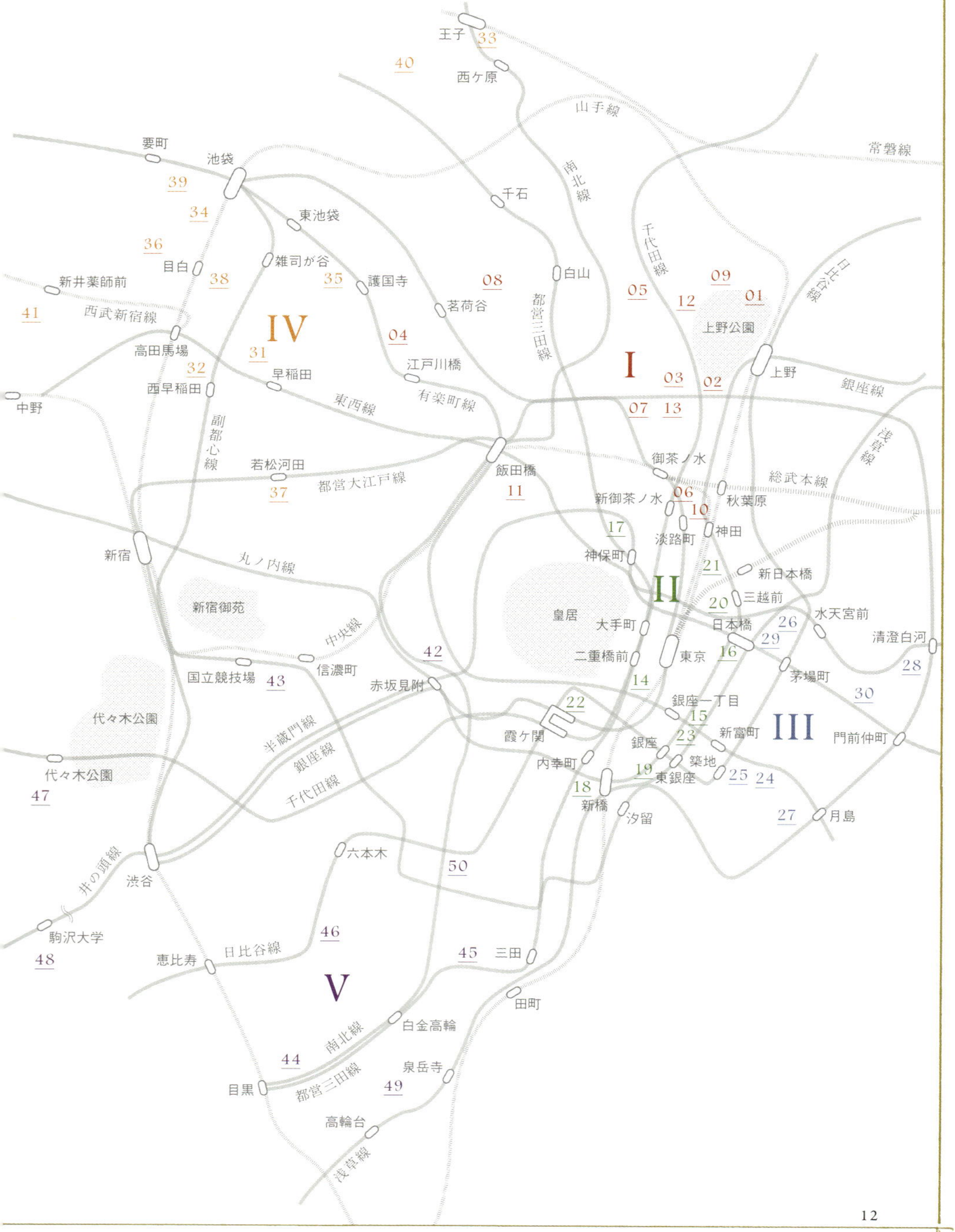

王子
33
40
西ケ原
山手線
常磐線
要町
池袋
39
34
東池袋
千石
南北線
千代田線
日比谷線
36
目白
38
雑司が谷
35
護国寺
08
白山
05
09
12
01
上野公園
新井薬師前
41
西武新宿線
IV
茗荷谷
都営三田線
高田馬場
31
32
04
江戸川橋
I
03
02
上野
銀座線
早稲田
有楽町線
西早稲田
中野
東西線
07
13
副都心線
浅草線
若松河田
都営大江戸線
飯田橋
御茶ノ水
総武本線
37
11
06
新御茶ノ水
秋葉原
10
17
淡路町
神田
新宿
丸ノ内線
神保町
21
新日本橋
II
新宿御苑
皇居
20
三越前
大手町
日本橋
水天宮前
26
29
清澄白河
中央線
42
16
二重橋前
東京
信濃町
国立競技場
43
茅場町
28
14
赤坂見附
30
代々木公園
22
銀座一丁目
15
半蔵門線
III
霞ケ関
23
新富町
門前仲町
銀座
銀座線
内幸町
築地
代々木公園
19
東銀座
25
24
47
千代田線
18
新橋
汐留
27
月島
六本木
50
井の頭線
渋谷
駒沢大学
46
48
日比谷線
恵比寿
45
三田
V
田町
白金高輪
南北線
44
泉岳寺
都営三田線
目黒
49
高輪台
浅草線

I
上野・本郷エリア

01
東京国立博物館 本館・表慶館

02
黒沢ビル

03
旧岩崎家住宅洋館

04
鳩山会館

05
根津教会

06
マーチエキュート神田万世橋

07
日本基督教団 本郷中央教会

08
東京大学総合研究博物館小石川分館

09
東京芸術大学 赤レンガ1号館

10
山本歯科医院

11
東京ルーテルセンター

12
上田邸

13
さかえビル

II
銀座・丸の内エリア

14
明治生命館

15
奥野ビル

16
日本橋高島屋

17
学士会館

18
堀ビル

19
BORDEAUX※

20
日本橋三越本店

21
太洋商会 丸石ビル

22
法務省旧本館

23
ヨネイビルディング

III
築地周辺エリア

24
カトリック築地教会

25
聖ルカ礼拝堂・トイスラー記念館

26
山二証券株式会社

27
警視庁月島警察署
西仲通地域安全センター

28
旧東京市営店舗向住宅

29
桃乳舎

30
村林ビル※

IV
新宿・池袋エリア

31
早稲田大学 會津八一記念
博物館・演劇博物館

32
学生下宿日本館※

33
晩香廬・青淵文庫

34
自由学園 明日館

35
豊島区立 雑司ヶ谷旧宣教師館

36
目白聖公会 聖シプリアン聖堂

37
小笠原伯爵邸

38
学習院大学 北別館

39
立教大学 第一食堂

40
中央公園文化センター

41
旧豊多摩監獄表門

V
渋谷・目黒エリア

42
赤坂プリンスクラシックハウス

43
聖徳記念絵画館

44
東京都庭園美術館

45
慶應義塾図書館旧館・三田演説館

46
日本基督教団 麻布南部坂教会

47
レストラン ラファエル※

48
駒澤大学 禅文化歴史博物館

49
高輪消防署二本榎出張所

50
和朗フラット 壱号館・弐号館

※旧所在地。現存せず。

Area
II
Ginza, Marunouchi Area

Takashimaya Nihonbashi Store

端正な洋風建築
その中で映える
繊細な和の意匠

日本橋髙島屋 ❶

❷ no.16

❸ Yasushi Kataoka, Teitaro Takahashi, Kenjiro Maeda

❹ 1933

❺ 片岡 安＋高橋貞太郎＋前田健二郎／SRC造 8階、地下2階

ロンドン、パリ、ニューヨーク……、世界的な都市に必ずある、由緒ある百貨店。一目で気づく、立派な佇まい。日本橋の髙島屋も、そんな百貨店です。

昭和初めに現在の建物を建てた際にも、この場所の大事さはよく知られていました。そこで建てる側は、案を広く公募する「建築設計競技（コンペ）」を実施。集まった390もの案の中から選ばれたのが、今も多くの人を惹きつけているこのデザインです。

設計者は学士会館［P.66］も手がけた当時一流の建築家。本場の百貨店にも遜色のない西洋建築の骨組みの中に、うまく和風のデザインを取り入れています。東洋的な趣味を基調とすることは、コンペの条件でした。世界に通じる立派さの中に、江戸時代の呉服店に始まった由緒を織り込んだ、国際都市・東京の百貨店です。

Data

❻ 開＝10:30〜19:30
＊地下2階・8階レストラン街、8階特別食堂の営業時間＝11:00〜21:30

Access

❼ 東京都中央区日本橋2丁目4番1号／JR「東京」（八重洲北口）徒歩5分／東京メトロ銀座線・東西線「日本橋」B2出口／都営地下鉄浅草線「日本橋」徒歩4分

❽ 1 案内係が手動で操作するエレベーターは、創建時から変わらない日本橋髙島屋を代表する顔の一つ。2 中央通りに面した正面玄関から吹き抜けに続く階段。柱も手すりも大理石で入念に仕上げられている。3 シャンデリアは戦時中の金属類回収令により供出したため、村野藤吾がデザインしたものに。

62　63

本書の見方

❶ 建物（施設）の名称

❷ 本書の掲載ナンバー（P12〜13の地図と対応しています）

❸ 設計者名（読み）

❹ 竣工年（増改築は大規模なものだけ記しています）

❺ 設計者名／構造 階数（RC造は鉄筋コンクリート造、SRC造は鉄骨鉄筋コンクリート造を示します）

❻ 営業時間、開館時間など

❼ 所在地／最寄り駅

❽ 写真番号と写真解説（写真の番号と解説が対応しています）

注意

◎一般公開されている建物の許可された時間以外は、無断で敷地内に立ち入らないこと。公開日などが設けられている場合もあります。

◎本書に掲載した内容は、2022年9月現在のものです。公開時間や用途、外観や内装に変更が加わる可能性などもあります。あらかじめご確認ください。

◎団体での見学や商業目的などの際には、事前に打診し、許可を得てから訪れてください。敷地内や館内での写真撮影・スケッチなどができないものも多くあります。必ず現地でのルールに従ってください。

◎その他、公共の場でのマナーを体現して、レトロ建築さんぽの愛好家を増やしてください。

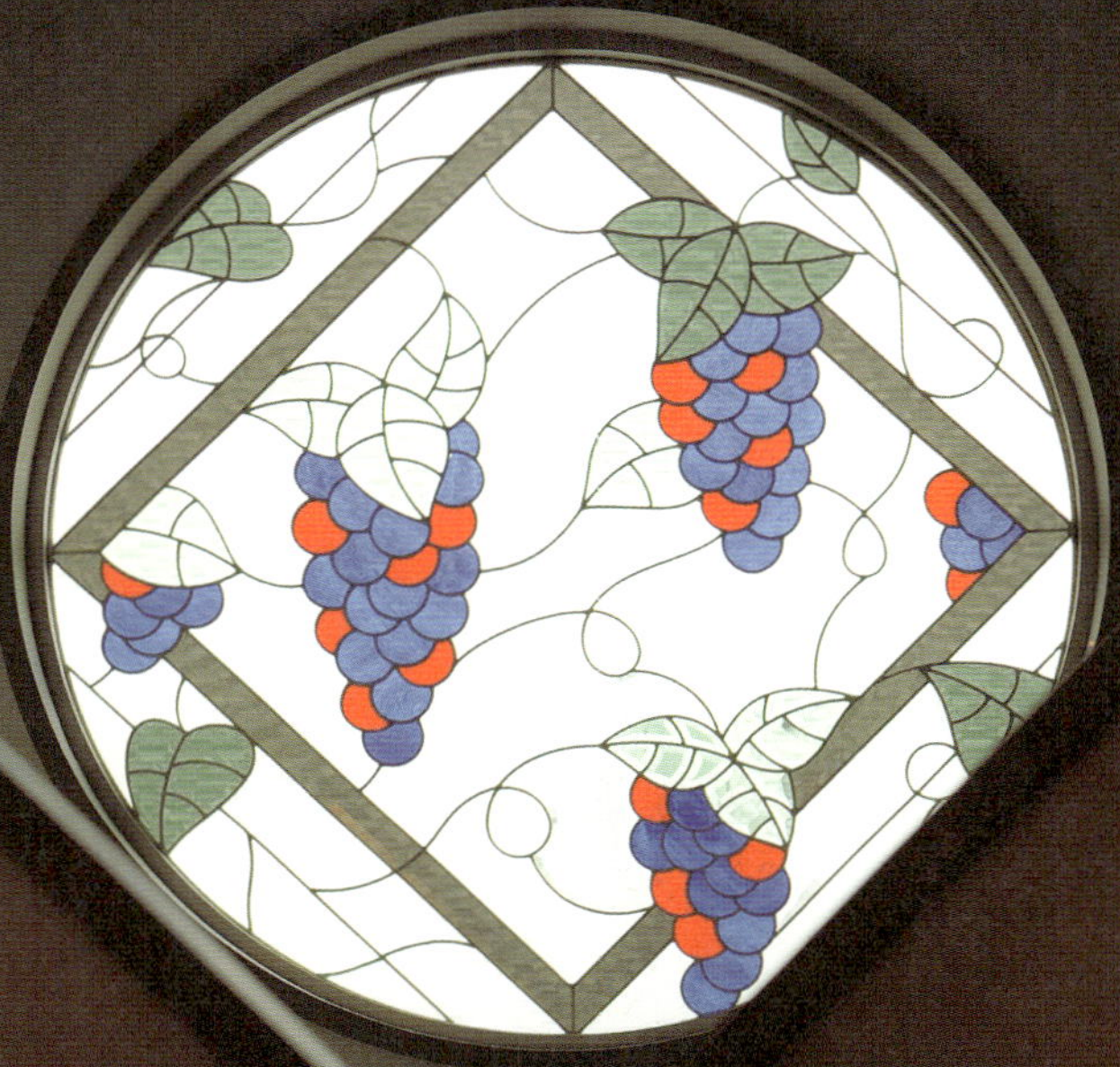

I

Ueno, Hongo
Area

上野・本郷エリア

no.01

Tokuma Katayama

1908

Jin Watanabe,
Kunaisho Takumiryo

1937

[表慶館] 1908年／片山東熊／レンガ造 2階
[本館] 1937年／渡辺 仁＋宮内庁内匠寮／SRC造 2階、地下2階

和の意匠が紛れ込む麗しの西洋建築

東京国立博物館 表慶館・本館

大正天皇の御成婚に慶賀を表し、国民の寄付で建てられた館、表慶館。堂々とした姿で隣りにあるのは、戦前は東京帝室博物館と呼ばれていた東京国立博物館の本館。

「ロイヤルファミリーは美と伝統と近代化の守護者である」、それが当時の西洋の考え方でした。日本も同じだということを示すために、この2つの建築は設計されました。そのため、とても西洋的。それと共に、日本の伝統的なデザインも多く組みこまれています。

皇室ゆかりの品格に触れ、展示品を楽しんだその後は、小さなデザインに目を凝らしてはいかがでしょう。和と洋の危うい バランスを取ろうとした、先人たちの美への工夫が見つかります。

1.表慶館の最大の見せ場は中央ドーム。立体的に見えるよう影を付けて描かれた細密画にトップライトからの光が注ぐ。2.照明も暗かった時代、ドアも光を取り入れる大事な装置だった。だからこそステンドグラスも生きる。3.大理石で覆い、石膏で装飾することで成立する確固としたインテリアを、設計者の片山東熊は本場フランスで学んだ。

Data

開＝9:30〜17:00（入館は16:30まで）
休＝月、年末年始
※時期により変動あり。特別展の開館時間は要確認

Access

東京都台東区上野公園13-9／JR「上野」（公園口）、「鶯谷」（南口）徒歩10分／東京メトロ銀座線・日比谷線「上野」徒歩15分、千代田線「根津」徒歩15分／京成電鉄「京成上野」徒歩15分

1

1. 片山東熊が直後に完成させた迎賓館赤坂離宮を彷彿とさせる外観。2. 炎の鉢を頂いたライオンは西洋建築に由来するデザイン。3. 西洋的な入り口の2頭のライオン。右側が口を開け、左が閉じるという日本の阿吽《あうん》のアレンジが加わっている。4. 壺を挟んで向き合うドラゴンは西洋建築の定番。時代が下ると、村林ビル(P.107参照)のような民間建築にも用いられている。5. 階段の手すりはレトロ建築のポイント。注目を。6. 時を経て味わいを増す天然の素材。7. 大胆な中央ホールの文様。8. 表慶館両脇の階段は、もう一つの見どころ。

4

5

6

2

7

3

5

6

1. 東京国立博物館本館の鬼瓦はどこか滑稽。2. 手の込んだ装飾に注目したい。3. シルクロードを経て伝来した唐草文様が西洋と東洋をつなぐ。4. 光の中で踊る唐草文様。5. 本館1階ラウンジの壁。6. 庭に面した壁にも繊細な装飾が施されている。 7. 本館のエントランスホールは壮大な吹き抜け。大理石や花崗岩で飾られている。8. 外光と照明の光、どちらも繊細な装飾を通過する。

1

2

3

4

7

8

西洋と東洋が
不思議なバランスで
入り混じる

Kurosawa Building

小川三知のステンドグラスを堪能できる

黒沢ビル

no.02

Kiichi Ishihara

1931

石原暉一／RC造 ３階、地下１階

1

ステンドグラスという文化を日本に定着させたのが小川三知《さんち》です。藩医の家系に生まれましたが絵画への憧れが止まず、東京美術学校に入学します。日本画を橋本雅邦に師事し学んだ後、1900年にアメリカに渡り、ステンドグラスの技法を習得して帰国。鳩山会館［P.30］や小笠原伯爵邸［P.138］など多くの建築を彩り、その第一人者として名を残します。

黒沢ビルは、もと小川眼科病院。開業したのは、三知の代わりに跡を継いだ弟の剣三郎です。建設にあたって、兄に多くの作品を依頼しました。対象に焦点を合わせた時のような抽象的な真実味、透過光が作り出す無限の中間色。日本と西洋の伝統を融合させた三知の作風がよくわかります。

人間の目の機能を信じた兄弟による、ミュージアムです。

1.エントランスにある、昇る太陽と薔薇の模様のステンドグラス。放射状と縦横、ガラスをつなぐ鉛線の効果的な用法にも注目。2.1階応接室の照明は抽象的なデザイン。3.枯れない花のように室内を華やがせる。

Data

※内部見学は要予約／一般公開日あり
問い合わせ=contact2014@kurosawa-bldg.com

Access

東京都台東区上野2-11-6／東京メトロ千代田線「湯島」徒歩2分、銀座線「上野広小路」徒歩5分

1

三知の作品に
建物の味わいと
共に浸る

2

3

4

5

1. 至るところがステンドグラスで飾られている。2. 目をいたずらに刺激するのではない中間色が小川三知の持ち味。3. 日本画の経験と西洋の技法が融合した抽象性。4. 欄間のように和風空間にも適応する。5. 生き生きとした自然を作者は好んだ。6. 建物の外観や手すりには、夢見るような曲面を多用。

Old Iwasaki House

部屋ごとに異なる装飾に目を見張る

旧岩崎家住宅洋館

no.03

Josiah Conder

1896

ジョサイア・コンドル／木造 2階、レンガ造地下室付

日本近代建築の父による、28歳の若き総師のための邸宅です。１８９３年に岩崎久彌《ひさや》は、父・彌太郎が築いた三菱財閥を、叔父の彌之助から引き継ぎます。当時の三菱は、赤レンガのビジネス街を丸の内に建設中。お雇い外国人として１８７７年に来日し、辰野金吾らに本格的な建築学を初めて教えたコンドルは同社の技師としてそれらを引き受けていました。当然、最高の邸宅がコンドルに依頼されました。

建物は地位にふさわしい重厚さを備えているだけでなく、生きた暮らしの場でもあります。ジャコビアン様式が素朴な趣きを加え、庭園側のベランダは居場所としてさまざまに使えそう。イスラム風の婦人室など各部屋で異なる装飾は、過ごす時間に伴い奥深さを増します。虚飾を嫌ったコンドルらしい設計を、岩崎は使いこなしました。

1.ストラップワークと呼ばれる、帯やひもが交差したり織り交ぜられたりしたようなデザインがジャコビアン様式の特徴の一つ。建物の正面からだと、屋根の下にまわっている立ち上がりの壁（パラペット）や窓上のアーチの内側などに見ることができる。2.公的な性格が強い1階とより私的な2階、異なる空間をつなぎながら切り替える階段は洋館の見せ場。3.2階のベランダ。幾何学的な天井や、柱の途中を束ねているような装飾もジャコビアン様式の特色。肩肘張らない工芸性が、空間の開放感に見合っている。

Data

開＝9:00〜17:00（入園は16:30まで）
休＝年末・年始

Access

東京都台東区池之端1-3-45旧岩崎邸庭園／東京メトロ千代田線「湯島」徒歩3分、銀座線「上野広小路」徒歩10分／都営地下鉄大江戸線「上野御徒町」徒歩10分／JR「御徒町」徒歩15分

4

1

5

6

意匠の変化とともに
部屋ごとに変わる空気を感じて

2

3

1. 玄関のモザイクタイル。じっと見ていると一つ一つが実にさまざまな形をしているのに気づく。2. ガラスにも鉄にも手作りの味わい。3. 内部の薄暗さがステンドグラスの明るさを引き立てる。4. 最も大胆なデザインは婦人室にある。中世ゴシック教会の薔薇窓を思わせる天井装飾、それに組み合わせたイスラム風のアーチ。5. 金唐革紙の内装。6. 別棟になった撞球室（ビリヤード室）はスイスの山小屋風の造り。7. 部屋ごとに壁紙や天井のデザインが変化する。

7

Hatoyama Hall

舞い踊る自然のモチーフ のどかな田園風の邸宅

鳩山会館

no.04

Shin-ichiro Okada

1924

岡田信一郎／RC造 3階、地下1階

Data

開＝10:00〜16:00（火〜日）／休＝月

Access

東京都文京区音羽1-7-1／東京メトロ有楽町線「江戸川橋」徒歩7分、「護国寺」徒歩8分

1

設計者の岡田信一郎は旧制中学校以来の友人・鳩山一郎のために、田園にあるような邸宅を設計しました。多くの来客に対応して複数の応接間があり、仕切りを外せばサンルームまでひとつながりになります。大きな窓からの眺めは、都会の現実を忘れさせるでしょう。ステンドグラスにも緑が茂り、鳩が舞う。平和な理想郷のようです。

邸宅は鳩山一郎の総理大臣の就任を見守りました。「鳩」の苗字を冠した子息の政治家たちに受け継がれ、今は鳩山会館として公開されています。

現実的でありながら理想を忘れない、政治家であり続けるための館を岡田は贈ったように思います。

2

3

4

1.平和の象徴である鳩が、オーダー(P.54「明治生命館」参照)と共に自然な社会秩序を作り出している。現実世界の手前に描かれた理想郷。2.軒先にとまるフクロウはローマ神話で知恵を司る女神・ミネルヴァの使い。3.ステンドグラスを手がけた名手・小川三知らしい優れた和風の意匠。ここにも鳩が舞う。4.建てられた頃の郊外らしさに呼応する田園趣味。

1

日差しが差し込む
カントリー
ハウスの趣

3

2

1.サンルームは優美で軽快なアダムスタイル。古代ローマへの憧れが結実した様式で、イギリスのカントリーハウスに多く用いられた。2.ステンドグラスが実り多き田園を象徴している。3.ガラスとタイル、どちらも色あせないレトロの伝道者。4.庭園からの眺めを考慮した外観。古典的な3連アーチがまとまりをもたらしている。5.緑に見合う玄関には鹿の頭や鳩の彫刻も。訪れて探し出してほしい。

Nezu church

ブルーの下見板
赤い尖頭屋根
下町の教会

根津教会

no.05

Paul Stephan mayer

1919

ポール・ステファン・メイヤー／木造 平屋

Access

東京都文京区根津1-19-6／東京メトロ千代田線「根津」徒歩５分

絵本に出てきそうな教会です。約100年前に献堂され、関東大震災にも大空襲にも耐え、今も根津にあります。

塔の下の入口から入ると、礼拝堂が広がっています。説教壇が隅にあり、取り巻くように扇型に長椅子が置かれています。これは十字架と牧師の説教に集中できるようにという配慮です。

昔ながらの佇まいを残すこの町で、塔が静かなランドマークになっています。左右対称の屋根が人の集う空間を柔らかに覆い、木造の壁は飾り気のない下見板張り。機能が実直に現れているからこそ、佇まいが絵になるのでしょう。それが今も美しいことに、守り続けている人の心が現れています。

2

3

4

1.素朴な木造下見板張りの外観。上側が尖った尖頭アーチの窓が、ゴシック様式の教会らしさを加えている。2.隅に設けられた説教壇で、ほぼ正方形の内部を機能的に活用している。3.関東大震災、東京大空襲でも、周囲の町並みと共に生き残り、今も信仰の場として開かれている。4.欄間のようなステンドグラスが優しい光を礼拝堂に送る。

mAAch ecute Kanda Manseibashi

にぎわいを記憶する赤レンガ造りの「万世橋」駅

マーチエキュート神田万世橋

no.06

1912

1935

レンガ造＋RC造

1

廃墟、とまでは行かなくても、長い年月にさらされたことによる自然な味わいに魅かれる人は多いのではないでしょうか。それを新築のようにピカピカにしてしまっては、ガッカリです。

ここはそんなことはありませんでした。１９１２年に完成し、１９３５年に大改修。１９４３年から使われなくなった旧万世橋駅のホームや階段を活かした商業施設。堆積した時間を、訪れたいと思う魅力につなげています。

世界的に人気のリノベーション。お隣の台湾でも、日本統治時代の工場や建物をセンス良く転用した施設が人気です。ようやく日本も追いついた。そんな風に嬉しくなる場所です。

2

3

Data

[1912-1935階段-プラットホーム]
開=月～土11:00～22:00、日・祝11:00～20:30／[オープンデッキ]開=月～土11:00～22:30、日・祝11:00～20:30
※ショップ・レストランはHPで確認を。

Access

東京都千代田区神田須田町1丁目25番地4／JR「秋葉原」(電気街口)徒歩4分、「神田」徒歩6分／東京メトロ日比谷線「秋葉原」(3番出口)徒歩6分、銀座線「神田」(6番出口)徒歩2分、千代田線「新御茶ノ水」(A3出口)徒歩3分など

1.神田川沿いの全景。手前に立つ万世橋の親柱もご鑑賞を。こちらは1930年の完成。2.丁寧に積まれた赤レンガと、彫刻の施された花崗岩。3.神田川沿いの遊歩道からの光景。

レンガとコンクリート、
明治と平成が
交わる景色

1

2

3

4

5

6

7

8

1. 万世橋駅開業の時に作られた「1912階段」。花崗岩や稲田石を削りだした重厚なもの。2. タイルの間の目地が丸く膨らんでいる。「覆《ふく》輪《りん》目《め》地《じ》」と呼ばれる1912階段の高級な施工。3. 天然の素材が行き交った人々を記憶する。4.1935年に駅の階段として新たに設置された「1935階段」はコンクリートを使ってモダンな味わい。5. 大改築時に渡された鉄桁は他の鉄橋に使われたものが転用された。6. タイルと石のコントラストもピッチを揃えて。7. こだわりのショップ、カフェからイベントスペースまで、アーチを介してつながる回遊性の高い空間。8. 館内に置かれた旧万世橋駅の模型。実際の場所を歩いて思い巡らす楽しみも。

The United Church of Christ in Japan, Hongo Central Church

no.07

J.H.Vogel
Shinobu Kawasaki

1929

J.H.ヴォーゲル＋川崎 忍
／RC造 4階

堂々たる
ゴシック様式
白亜の教会堂

日本基督教団
本郷中央教会

1

教会の設立は１８９０年。社会的に影響力のある学生にもキリスト教の思想を知ってもらいたいと、東京大学やお茶の水女子大学に近いこの場所が選ばれ、「中央会堂」と名付けられました。集会や音楽会が催されたり、国内外の雑誌の閲覧所が設けられたりと、知的なセンターとしても考えられていたのです。

１９２３年の関東大震災で焼失した木造の建物に代わり、現在の鉄筋コンクリート造のものが再建されます。構造の強さを生かし、１階が幼稚園、２階から上が教会堂という立体的な作り。

教会であり、ビルでもあるような姿は、足掛け３世紀もの歴史に根ざしているのです。

1.目の前の大通りに負けない存在感が「センター」としての伝統を語る。2.内部・外部ともゴシック教会らしい細部。3.関東大震災後の再建では重厚な角塔を立ち上げて、高層化し始めた周辺に埋没しないものに。

Data

※一般立ち入り禁止

Access

東京都文京区本郷3-37-9／東京メトロ丸ノ内線「本郷三丁目」徒歩２分

University Museum, The University of Tokyo Koishikawa annex

緑に映える朱色の壁 個性的な和洋の折衷

東京大学総合研究博物館
小石川分館 建築ミュージアム

no.08

1876

木造 2階

1

移築や増改築がしやすいことは、日本の木造建築の特徴の一つです。最初、１８７６年に東京大学本郷キャンパス内に東京医学校本館として建てられた建物は、１９１１年に現在の東大病院の位置から、赤門の脇に移されます。この時に奥行きが短くされ、屋根に乗っていた時計台も縮小、正面の車寄せに和風意匠が加えられました。こうして、ほぼ現在の姿となった後、１９６０年代に本郷から小石川植物園内に移築。２００１年に東京大学総合研究博物館小石川分館として開館します。

度重なる移築の履歴が、木に刻まれています。博物館として改修した際に２階の天井の一部を取り去るなどして、素材そのものを見せています。建物でも博物館の展示品でも「もったいない」という心が、次の時代に思いもかけなかった価値を残します。

1. 小石川植物園の向こうに佇む木造2階建。2. 寺院建築の意匠を使った車寄せの透し彫りが見事。3. ベランダには擬宝珠《きぼし》を用いている。明治末に赤門の脇に移築されたことで、それに合うよう和風のデザインが加味された。

Data

開＝10:00～16:30（ただし入館は16:00まで）／休＝月・火・水（いずれも祝日の場合は開館）、年末年始、その他、館が定める日。※展示公開休止中。イベントはHPを参照。

Access

東京都文京区白山3-7-1／東京メトロ丸ノ内線「茗荷谷」徒歩８分

1

3

2

4

梁、柱、ほぞ穴
木造ならではの表情

1.階段脇にはレトロな大時計が。1924年製。2.館内には東京大学本郷キャンパスの歴史的な校舎建築の模型も。精巧な1/100木製模型はイタリアで最高の木工職人によって制作された。3.館内各所に配した写真は、関東大震災復興期にガラス乾板で撮影された東京大学建築の断片。額縁は、旧東京中央郵便局の窓枠を再利用している。4.天井は、かつての増改築の履歴、柱や梁のほぞ穴が見える構造になっている。5.刻まれた時間が、柱の1本1本を別の表情に変えている。

Tokyo University of the Arts, Red Brick Building No.1-2

築130年を越えるシックな赤レンガの建物

東京芸術大学 赤レンガ1号館・2号館

no.09

Tadayoshi Hayashi

1880

Noriyuki Kojima

1886

[1号館]1880年／林 忠恕／レンガ造 2階
[2号館]1886年／小島憲之／レンガ造 3階

明治初めに活躍した大工出身の技術者・林忠恕《ただよし》を知る人は少ないでしょう。初代の大蔵省など多くの官公庁建物を手がけましたが、次第に本格的な建築教育を受けた建築家に取って代わられます。アメリカ・コーネル大学建築学部を卒業した小島憲之も忘れられない人物です。建築教育を受けた最初期の一人ですが、帰国後の設計作はほとんどなく、第一高等学校の教師として夏目漱石に英語を教えたことの方が有名かもしれません。

東京藝術大学の1号館は林忠恕、2号館は小島憲之による貴重な作品。今から40年ほど前に取り壊しが決まり、表面に塗られたモルタルを剥がしたところ、なんと赤レンガの古い建物であることが判明。保存されることになりました。木立の中に佇み、今も2人を忘れ去られない存在にしています。

1. 東京藝術学部音楽学部の構内に建つ赤レンガ1号館。最初は現在の国立科学博物館の前身である教育博物館の書籍庫だった。2. 隣に並ぶ2号館は東京図書館書籍閲覧所の書庫として建てられた。3. 窓の形に合わせた鉄扉が重厚だ。4. 似ているけれど、2号館の方が建築家らしく抑揚がある。

Data

※内部は一般非公開

Access

東京都台東区上野公園12-8／JR「上野」「鶯谷」徒歩10分

no.10

1928

木造３階

Access

東京都千代田区神田須田町1-3／都営地下鉄新宿線「淡路町」徒歩２分

震災復興期のモダン建築

山本歯科医院

Yamamoto Dental Clinic

下が仕事場で上が住宅。江戸時代からの商家と同じような木造建築でもモダンなのは、お医者さんだから。瀟洒な窓を小気味よく配し、１階と２階の間には新鮮なタイル装飾。２階と３階の間に右から読む看板がバランス良くはまっています。

地元と密着しながら、頼りにされる。街の医者がそういう存在だということを、全国の津々浦々に残る、周囲より少しモダンな診療所が教えてくれます。そんな温かさに東京の真ん中で出会えます。

no.11

Eikichi Hasebe

1937

長谷部鋭吉／SRC造４階、地下１階

Access

東京都千代田区富士見1-2-32／JR「飯田橋」徒歩５分

スタイリッシュな北欧風の教会

東京ルーテルセンタービル

Tokyo Lutheran Center Building

東京神学校として建てられた建物に、長谷部竹腰建築事務所の個性が表れています。長谷部鋭吉と竹腰建造を中心に１９３３年に創設され、戦後の日建設計に発展。現在、都内で進む大プロジェクトの多くに携わっています。

直線とアーチが奏でるハーモニーがどこかロマンティック。今でも古びないモダンさで、変わらないキリスト教らしさを表しています。近代化する社会のニーズに応え、期待を形に変える。そんな設計組織の出発点です。

no.12

1929

木造４階

Access

東京都台東区池之端3-3-19／東京メトロ千代田線「根津」徒歩５分

モルタルを石壁風に珍しい木造の４階建

上田邸

Ueda House

壁には目地が切られ、玄関両脇の円柱はイオニア式オーダー。その上のラーメンどんぶりのような幾何学模様も古代ギリシア建築に由来します。一見すると建築家が設計した石造建築のよう。

でも、実は木造。建て主は上海に住んだ経験があり、かの地の洋風建築のイメージを盛り込んだと言います。当時このような建物は珍しく、見学者が絶えなかったとのこと。盛りだくさんなデザインに、今の私たちも興味津々でしょう。

no.13

1934

RC造４階、地下１階

Access

東京都文京区本郷3-38-10／東京メトロ丸ノ内線／都営地下鉄大江戸線「本郷三丁目」徒歩1分

色合いもレトロなアール・デコ建築

さかえビル

Sakae Building

交差点に面したビルです。２つ並んだアーチ装飾は、西洋の伝統に根ざしたもの。でも、左右の搭のようなシルエットは、１９３０年にニューヨークに完成したアール・デコの超高層、クライスラービルを思わせます。

玄関には、アメリカから日本に入って当時流行したテラコッタが使われています。その歯車状の形もアール・デコの流れ。華麗な様式主義と、幾何学的なアールデコ。両者の交差点にもビルは建っています。

ジョサイア・コンドル

Josiah Conder◎1852年、イギリス・ロンドンに生まれる。1877年に来日し、工部大学校で日本初の本格的な建築教育を行う。1920年没。本書掲載以外の現存作品に、綱町三井倶楽部（東京都港区、1913）、諸戸清六邸（現 六華苑、三重県桑名市、1913）、旧古河邸（東京都北区、1917）などがある。

[本書掲載＝旧岩崎家住宅洋館→P.26]

若い情熱で 日本の建築設計、教育の礎を築く

いわゆる「お雇い外国人」の一人として１８７７年1月に来日しました。この時、ジョサイア・コンドルは24歳。

若すぎる——とも思いますが、日本に建築の学問・制度を定着させるために、当時の政府のトップに匹敵する給料を支払って招いた人物。適当に選んでいるはずはありません。来日前には有名建築家のウィリアム・バージェスの設計事務所で働き、王立英国建築家協会ソーン賞に輝いていました。将来有望な若手建築家。当初の契約は5年間でした。来日の時点ではこの発展途上だけど美術では知られる極東の国の経験を持ち帰り、本国で独自のポジションを築こう。そんな風に考えていたかもしれません。

しかし、結局、コンドルはイギリスには戻らず、妻・くめと添い遂げ、子どもを設け（これは若い頃に芸者との間にできた娘ですが）、日本で生涯を終えます。

コンドル以前、本格的な建築家は日本にほぼ皆無でした。来日早々から本邦初の博物館の施設となる《上野博物館》（１８８１）、教科書でお馴染み《鹿鳴館》（１８８３）といった国家的な建築を実現させます。１８９０年にお雇い外国人としての契約が終了すると、直ちに三菱会社顧問に。《三菱一号館》（１８９４）や《岩崎家住宅洋館》（１８９６）などを設計します。最後まで邸宅を中心とした設計依頼が途絶えませんでした。

お雇い外国人として期待されたのは、本格的な西洋建築を建てることと、もう一つは教育。こちらも辰野金吾や片山東熊らを皮切りに、日本人だけで建築を教育・設計できる系譜を見事に育成します。

最初の教え子の一人である曾《そ》禰《ね》達蔵は１９２０年のコンドル逝去に際して「先生は温順にして懇切であったので実に嬉しかった」と、同年生まれの師との出会いを回想しています。

日本への憧れと敬意、若々しい熱意を持ったコンドルが来てくれたことは幸せでした。その後も西洋建築を展開させた国の始まりとして歴史に位置付けられたコンドルも、きっと同じ気持ちでしょう。

コラム1

いろんな窓

1.旧岩崎家住宅洋館 2.学士会館 3.4.明治生命館 5.雑司ヶ谷宣教師館 6.晩香蘆 7.鳩山会館 8.自由学園 明日館 9.東京国立博物館・表慶館 10.赤坂プリンスクラシックハウス

1

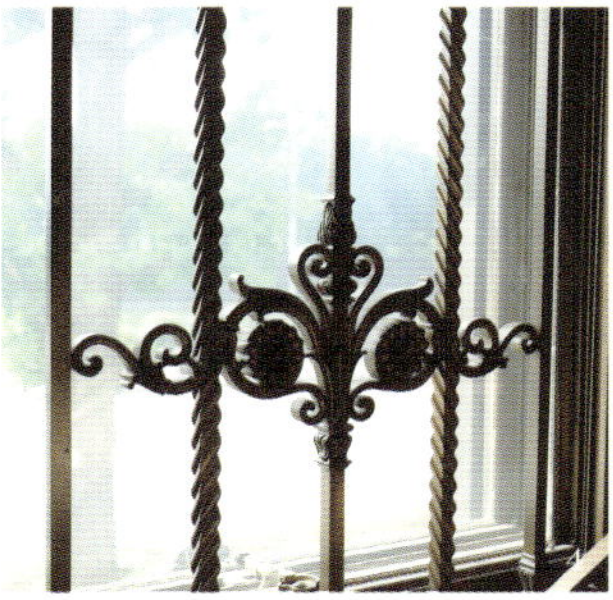

3

2

6

5

7

10

9

8

コラム2

いろんなタイル

1

3

2

1.旧岩崎家住宅洋館 2.小笠原伯爵邸 3.晩香蘆 4.東京都庭園美術館 5.黒沢ビル 6.東京国立博物館・表慶館 7.8.9.赤坂プリンスクラシックハウス

6

4

5

9

8

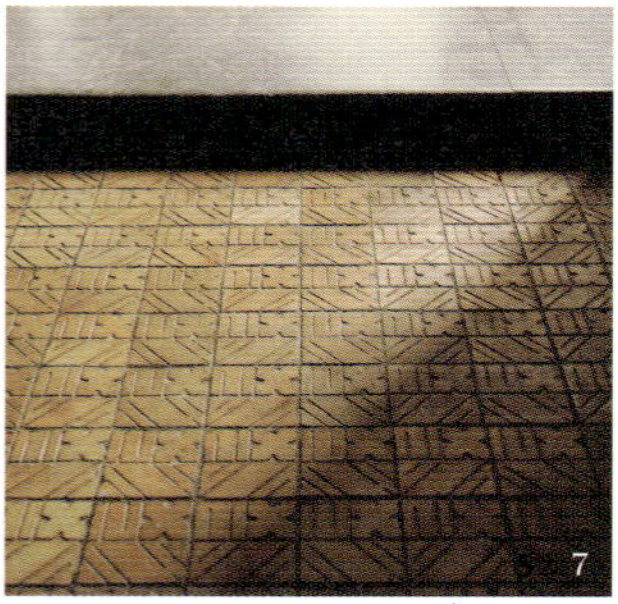
7

II

Ginza,
Marunouchi
Area

銀座・丸の内エリア

Meiji Seimei Kan

古典主義様式でまとめられた優美な空間

明治生命館

no.14

Shin-ichiro Okada

1934

岡田信一郎／RC造 8階、地下2階

1

日本で一番、オーダーが生きていると感じる建築です。オーダーとは、ある決まった構成や装飾、プロポーションを持った柱のこと。ルネサンスの時代に再評価されて「古典主義」と名付けられた様式が、紀元前6世紀から1世紀頃の古代ギリシアで確立し、ローマ帝国に受け継がれて発展しました。オーダーはその基本的な要素です。

ここでも「コリント式」と呼ばれるオーダーを並べて、外観をまとめ上げています。よく見れば、てっぺんのアカンサスの葉飾りは精妙。柱は下の方が少し太くカーブしています。このオーダーのおかげで、見通しがきく一等地の建築としての威厳と、時間や天気による感じ方の変化が共存しています。

いつまでも人間のために建ち続けようという気構えが、大きくても親しげな内部空間にも満ちています。

1.外からはそっけないアーチ窓も、中から見ると印象が一変。2.イタリアの大理石が使われた階段に、バラをかたどった細かな意匠が。3.吹き抜けのトップライトから、大営業室に光が降り注ぐ。

Data

開＝土・日11:00〜17:00、水・木・金16:30〜19:30（平日は2階の一部、1階ラウンジのご案内）
※祝日、年末年始除く

Access

東京都千代田区丸の内2-1／JR「東京」（丸の内南口）徒歩5分、「有楽町」（国際フォーラム口）徒歩5分／東京メトロ千代田線「二重橋前」（3番出口）直結

エレベーターや
メールシューター
当時の最先端技術が集まる

1

2

3

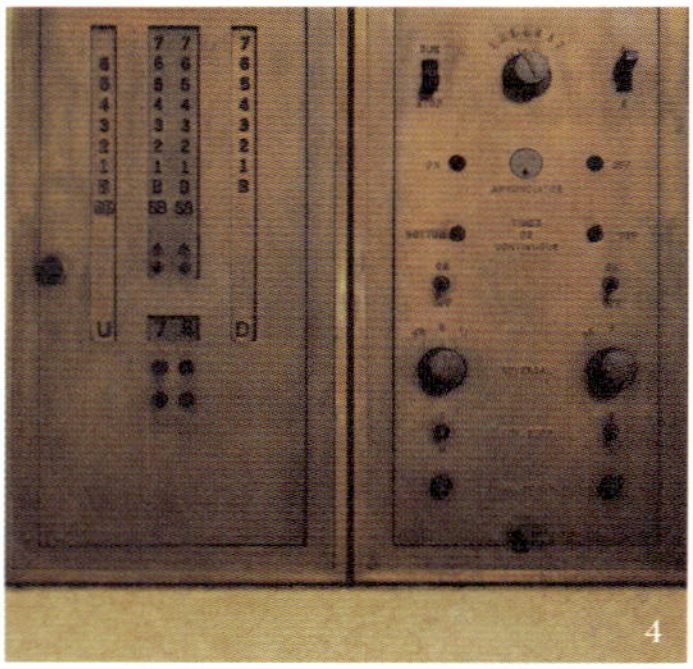
4

1.4.装飾の施されたアメリカ・オーティス社製のエレベーターと、エレベーターの外側にある操作盤。2.2階にある社員食堂の料理を上げ下ろしするエレベーター。階数の表示版も時計も当時のまま。3.戦前のメールシューターなので横文字の向きが逆。5.内堀通り沿いに威容を誇る10本のコリント式オーダーも、見上げれば意外に繊細な表情を持つ。入り口の上に配したベランダ状の装飾が、人を招き入れる印象を作っている。6.1階の外壁を石積み風に仕上げ、柱の立つ基壇のように見せている。

古代ローマ風
優美な意匠の数々

1

2

3

4

5

6

7

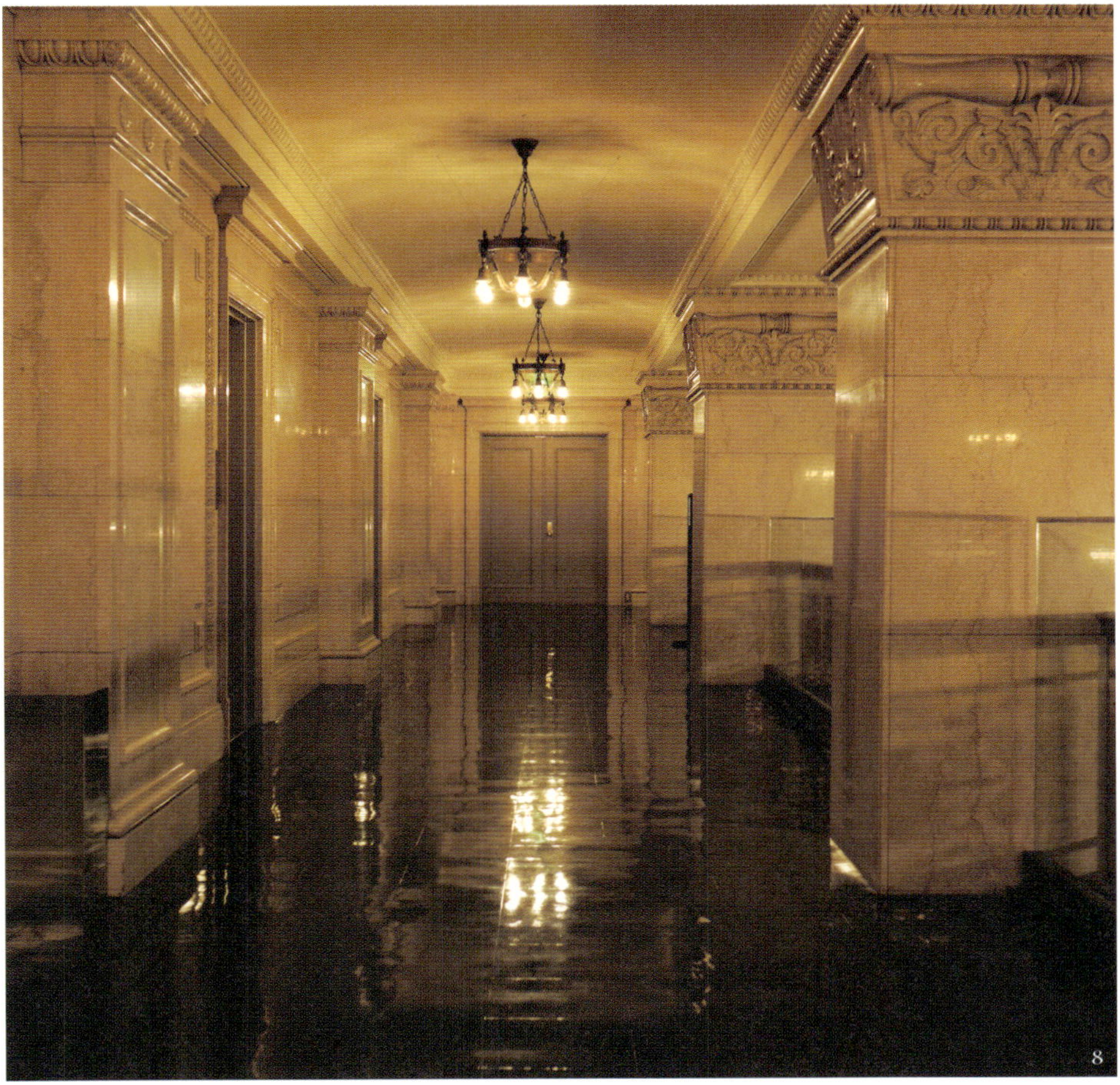

8

9

1.優美な光が差し込む階段。現在は地階に入っているレストランのウェディングの写真撮影にも使われる。2.トップライト周辺の天井は古典主義様式で華麗に演出。ギリシア建築によく用いられる、アカンサスの葉が美しい。3.4.各部屋にある暖炉。柱頭には羊やブドウなどがあしらわれている。5.食堂室の天井や梁に配されたブドウとツタの石膏レリーフ。6.回廊に沿って複数の応接室が用意されている。応接室のガラス戸もレトロな雰囲気。7.2階にある第一会議室は、1946年に第一回対日理事会が開催され、連合国軍最高司令官マッカーサー元帥が出席し演説を行った部屋。8.吹き抜けに面した2階部分の回廊。9.大理石の壁に施された古典的な浮き彫り。

Okuno Building

1932年造
銀座随一
レトロな
アパートメント

奥野ビル

no.15

Ryoichi Kawamoto

1932
1934

川元良一／RC造 6階、
地下1階

1

昭和初め、「銀座アパートメント」という名前で、時代の先端を行く集合住宅として建てられました。ビルとして貸し出されるようになったのは戦後。現在は個性的な画廊が集まっています。見た目も機能も、サービス精神旺盛、といった感じではありません。なので、時代に流されず、いつも悠然としていて、だから人がやってきます。

向かって左側が１９３２年完成の第１期。右側が２年後の第２期です。ほとんど同じようですが、窓の位置が微妙に違っています。真ん中に階段室が２つ並んでいて、増築だとわかります。味わいのあるタイルやエレベーター、細かなことが気になって、愛着がわきます。通りに面して整然と並ぶ窓が、人に迷惑をかけなければ何をしてもいいと語っているよう。そんな様子が、当時も今も、都会的だと思うのです。

1. 第１期と第２期の間には壁が２枚立っている。共にスクラッチタイルの外装。7階部分は戦後に増築。※外観写真は2016年取材当時のもの。
2. 手動式のエレベーター。針が動いて階数を知らせるアナログな作り。
3. 玄関にある小窓は手作り感が満載。

Data

テナントによる。

Access

東京都中央区銀座1-9-8／東京メトロ有楽町線「銀座一丁目」(10番出口)徒歩１分、銀座線・日比谷線・丸ノ内線「銀座」(A13番出口)徒歩７分

1

2

3

4

5

6

銀座の一等地に
残った「奇跡」に
誘われて……

1.お手洗いの表示が淑女らしい。2.今ではあまり目にしないフォントが新鮮。3.ガラスブロックがレトロなモダンさを象徴している。4.5.306号室には、昭和からここで営業していた「スダ美容室」の内装が保存されている。壁紙も往時のまま。室内には鉄筋コンクリートの梁の形がそのまま現れている。6.木製の階段手すりには控えめな装飾も。7.エントランスホール。釉薬をかけた焼き物のようなタイルのグリーンとこっくりした茶色がシック。

Takashimaya Nihonbashi Store

端正な洋風建築
その中で映える
繊細な和の意匠

日本橋髙島屋

no.16

Yasushi Kataoka,
Teitaro Takahashi,
Kenjiro Maeda

1933

片岡 安＋高橋貞太郎＋前田健二郎／SRC造 8階、地下2階

3

2

　ロンドン、パリ、ニューヨーク……、世界的な都市に必ずある、由緒ある百貨店。一目で気づく、立派な佇まい。日本橋の髙島屋も、そんな百貨店です。

　昭和初めに現在の建物を建てた際にも、この場所の大事さはよく知られていました。そこで建てる側は、案を広く公募する「建築設計競技（コンペ）」を実施。集まった390もの案の中から選ばれたのが、今も多くの人を惹きつけているこのデザインです。

　設計者は学士会館［P.68］も手がけた当時一流の建築家。本場の百貨店にも遜色のない西洋建築の骨組みの中に、うまく和風のデザインを取り入れています。東洋的な趣味を基調とすることは、コンペの条件でした。世界に通じる立派さの中に、江戸時代の呉服店に始まった由緒を織り込んだ、国際都市・東京の百貨店です。

1. 案内係が手動で操作するエレベーターは、創建時から変わらない日本橋髙島屋を代表する顔の一つ。2. 中央通りに面した正面玄関から吹き抜けに続く階段。柱も手すりも大理石で入念に仕上げられている。3. シャンデリアは戦時中の金属類回収令により供出したため、村野藤吾がデザインしたものに。

Data

開＝10:30～19:30、地下2階・8階レストラン街、8階特別食堂の営業時間＝11:00～21:30

Access

東京都中央区日本橋2丁目4番1号／JR「東京」（八重洲北口）徒歩5分／東京メトロ銀座線・東西線「日本橋」B2出口／都営地下鉄浅草線「日本橋」徒歩4分

1

1. 端正な設計で調和された西洋風の水飲み場と東洋風の欄間のデザイン。2.1階と2階の2層分の吹き抜けに大理石の柱が並ぶ。3. 古代ローマ風の構成と和風の飾り金物のデザインが組み合わされた天井。4. 大理石は主にイタリア産を使用。中には約6600万年前に絶滅したアンモナイトの姿も。5. 外観の最上部に垂木や肘木のデザインを応用し、日本建築の軒下を思わせる。6. 飾り金物や釘隠の繊細な美を取り込んだ正面玄関の意匠。7. 「はしご高」の字体とデパートメントストアの文字が歴史の厚みをさっぱりと伝える。8. 和洋のデザインモチーフが融合した重厚な鉄扉。9.3つ並んだアーチで正面を飾るのは西洋建築で定番の手法。そこに和風のアレンジが施されている。

2

和洋のデザインモチーフが融合する空間

5

3

6

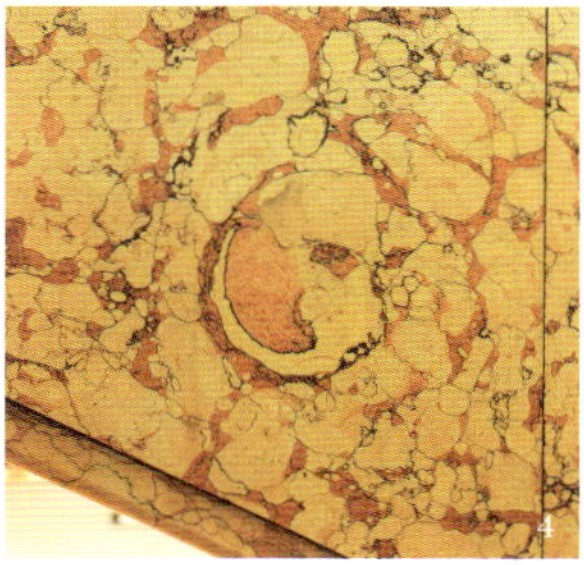
4

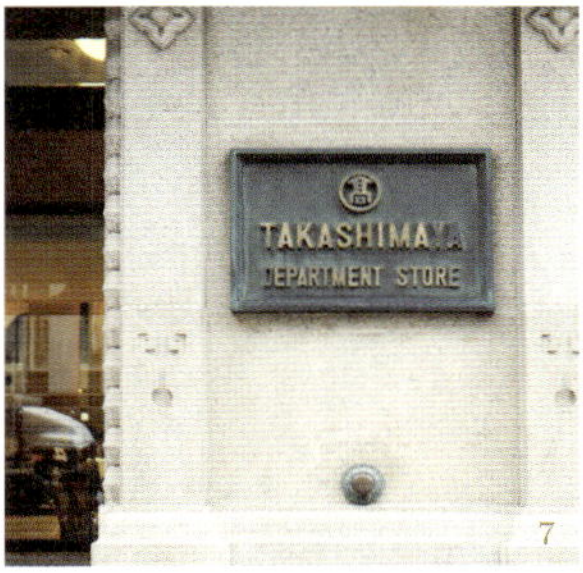

7

8

9

Gakushi Kaikan

no.17

Teitaro Takahashi,
Toshikata Sano

1928

Akira Fujimura

1937

[旧館] 1928年／高橋貞太郎＋佐野利器／SRC造 4階、地下1階
[新館] 1937年／藤村 朗／SRC造 5階、地下1階

気品あふれる誇り高き学士の殿堂

学士会館

1

2

3

「学士」という言葉の凛とした響き。学士会館は、戦前の旧帝国大学を卒業した学士会会員専用の社交施設として建てられました。その誇りを保ちつつ、今では会合、婚礼、飲食、宿泊など、会員以外にも門戸が開かれています。

こうした社交施設のことを倶楽部建築と呼びます。いわば会員みんなの家。必要なのは、新しい人を誘う刺激ではなく、いつでも「帰って来た」と感じられるような寛《くつろ》ぎです。外見が比較的に地味なのも、内部が邸宅風なのもそのため。戦前にあった倶楽部建築とは何かがわかる貴重なものとなりました。

旧館正面玄関の半円アーチのオリーブは英知の象徴。内装には先端的なセセッションのスタイルを取り入れています。知性で未来を切り拓こうとしていた若き日を忘れるなという、設計者からのメッセージでしょうか。

1.階段広間の十二角形の柱は、人造石を鋲で止めたような造り。あえて軽妙に見せるデザインにはオーストラリアのセセッションの影響が窺える。2.開館当時の姿が残る、華やかなメインバケットルーム、201号室。3.しっとりと落ち着いた空気が漂う階段スペース。

Data

※レストランなどによるので要問い合わせ。

Access

東京都千代田区神田錦町3-28／JR「御茶ノ水」(御茶ノ水橋口)徒歩15分／東京メトロ東西線「竹橋」(3a出口)徒歩5分／都営地下鉄三田線・都営新宿線・東京メトロ半蔵門線「神保町」(A9出口)徒歩1分

2

1

4

3

1.正面玄関の天井。深く刻まれた装飾が灯りに映える。2.完成当時は大食堂として用いられていた201室のロビー。前室とは思えないほどに風格がある。3.201室ロビーの天井。4.深い色合いの扉に静かに輝くドアノブ。共に時の流れに磨かれている。5.1937年に増築された新館のステンドグラス。約10年前の旧館よりさらにモダンな印象。6.角のカーブが特徴的な外観。7.玄関のアーチの要となる位置にオリーブを図案化したキーストーンを置く。8.201室にはオーケストラ用のバルコニーがある。

5

戦禍を逃れ
磨かれ続けた
気品と風格

7

6

8

Hori Locks & Builder's Hardware

街の移ろいを見つめ続けるレトロな錠前屋さん

堀ビル

no.18

Toshio Kubo,
Masatsugu
Kobayashi

1932

公保敏雄＋小林正紹／
RC造 4階

1

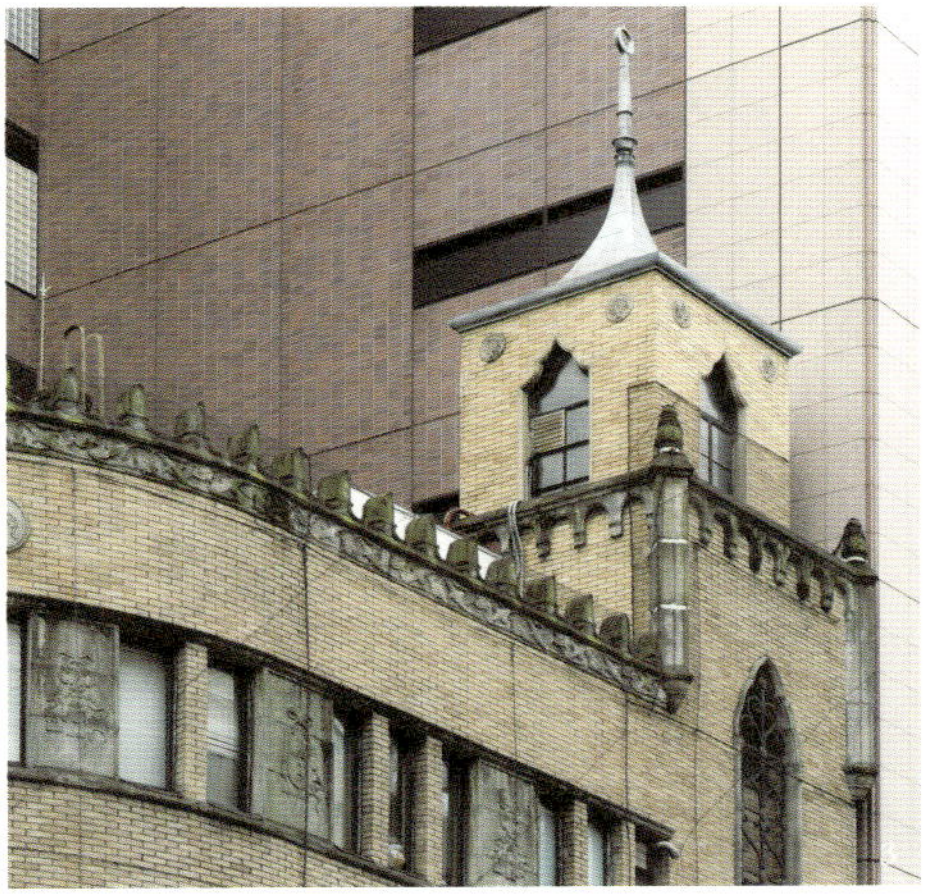

日本の西洋建築の歴史と共に歩んできた錠前メーカーの社屋として建てられました。創業は明治半ばの１８９０年。当時は欧米の錠前や建具や暖炉の金物などを輸入販売していました。大正の初めにはそれらの製造販売を開始します。１００年を超える伝統を生かし、最近は歴史的建造物の修理・復元にも欠かせない役割を担っています。

関東大震災で倒壊した木造洋風建築に代わり、鉄筋コンクリート造で再建されたビルは、見るからに堅牢そのもの。交差点に合った曲面は金物の機能美を連想させます。細部の意匠性も忘れていません。使い込まれて味わいが増す本物です。

設計を担ったのは、国会議事堂の設計にも関わった小林正紹《まさつぐ》。まるで鍵と錠前のように、この街に欠かせない建築となっているのにも納得です。

1. 通用口のドアにレトロなフォントで記された屋号が。2. 曲線的なフォルムが遠くから見ても美しい。3. 水平窓が連続するデザイン。外壁にはスクラッチタイル。最上階の尖塔部分は吹き抜けになっている。

Data

※2020年に社屋を移転。掲載内容は2016年取材時のもの。現在は見学不可。

Access

東京都港区新橋2-5-2／JR「新橋」徒歩４分／都営地下鉄三田線「内幸町」徒歩２分

1.2.正面のねじり柱や意匠にも技巧が凝らされている。3.正面玄関の床に施された、堀の「H」。4.内階段も当時のまま。優雅な曲線で2階に続く。5.当時から変わらぬ扉。ハンドルが時の流れに磨かれている。6.黒と白のチェッカーに組まれた床のタイルが都会的。7.8.ドア脇の飾りや内階段の手すりなど、細部まで美しい。金物の機能美を連想させる。

細かな意匠が物語る金物の機能美

7

8

BORDEAUX

世界各地の装飾が渾然となった物語空間

BORDEAUX

no.19

1927

木造 2階

日本を代表する「オーセンティックバー」、紳士がお酒を嗜《たしな》む正統派のバーです。創業が昭和初めと聞いただけでも驚きますが、変貌激しい銀座で、1927年から同じ建築が存在し続けているとは、奇跡のようです。

でも、私がボルドーを好きなのは「銀座の老舗《しにせ》バー」という言葉に感じがちな堅苦しさに縛られていないから。店内のすべての席の佇まいが異なり、壁に半円形に取り付いた小さなテーブルがあったり、吹き抜けに迫り出すような席があったり、まるで街並みのようです。

変化に富んだ空間で、世界各地からの物品が物語を織りなしています。ブランディングに抜かりのない感じとは逆の自由度に、安心させられます。

1.銀座のビルの谷間で存在感を放つ。年輪の刻まれた重い扉を押すのには勇気がいりそう。2.1階から2階を見上げると、2階はまるで演劇の舞台のように不思議な雰囲気を醸している。3.1つずつ家具調度の違う席が用意されている。これは2階のテーブル席。

Data

※現存せず。

Access

[旧所在地] 東京都中央区銀座8-10-7／JR「新橋」徒歩６分

いつの時代の
どことも知れぬ
異国情緒に
浸りたい

1. 鉄道の枕木を使った階段。2. 照明器具も目を凝らす価値がある。一つとして同じものはない。3. カウンター横の神話的な壁紙。4. 一つ一つの調度品が物語を宿している。5. 重厚な入口扉の金物。6. 日が落ちると灯り、ほのかに入口を照らす。7. 1階の床は石畳。吹き抜けを中心とした構成が閉塞感を感じさせない。

6

5

Nihonbashi Mitsukoshi Main Store

我が国初
世界の百貨店に
肩を並べた
デパート

日本橋三越本店

no.20

Yokogawa
Koumusho

1914
1935

横河工務所／SRC造 7階、地下1階

1

大きな吹き抜けのまわりに見切れないほどの品々、絢爛な装飾の合間で紳士淑女が行き交う。19世紀のパリで誕生した百貨店は、そんな新しい空間によって、人々を魅了しました。

それに初めて肩を並べたのが、１９１４年に完成した日本橋三越本店。象徴的な１階から５階までの吹き抜けホールは、１９３５年に関東大震災からの復旧と増改築が完了した後も健在です。ただし、宮殿のようだった以前の姿とは違い、世界各地の装飾や当時流行のアール・デコなどを取り入れ、軽快にアップデートされています。散りばめられたさまざまなデザインが、モダンさも取り込んだ戦前の装飾の豊かさを物語ります。

戦後、１９６０年に据えられた天女像も存在感を放つ、日本の百貨店の歴史が折り重なった空間です。

1. 内部の豊かさが溢れ出したような装飾。今日は何に出会えるか、期待が高まる。2. 正面玄関のライオン像はイギリスの彫刻家メリフィールドが型取り、1914年に完成。以来、来訪者を出迎え続ける。3. 外観は関東大震災からの復旧と増改築を経た1935年に現在の姿に。端正な骨格を緻密な装飾で縁取り、都会的に仕上げている。

Data

開＝10:30〜19:00、本館地下１階、新館地下１階・地下２階は10:00〜19:30、新館地下１階・９階・10階レストランは11:00〜22:00

Access

東京都中央区日本橋室町1-4-1／JR「新日本橋」徒歩７分、「東京」（日本橋口）徒歩10分／東京メトロ銀座線・半蔵門線「三越前」徒歩１分、東西線「日本橋」（C1出口）徒歩５分／都営地下鉄浅草線「日本橋」徒歩５分

4

1

6

夢の翼が大きく広がるような
流麗な吹き抜けホール

2

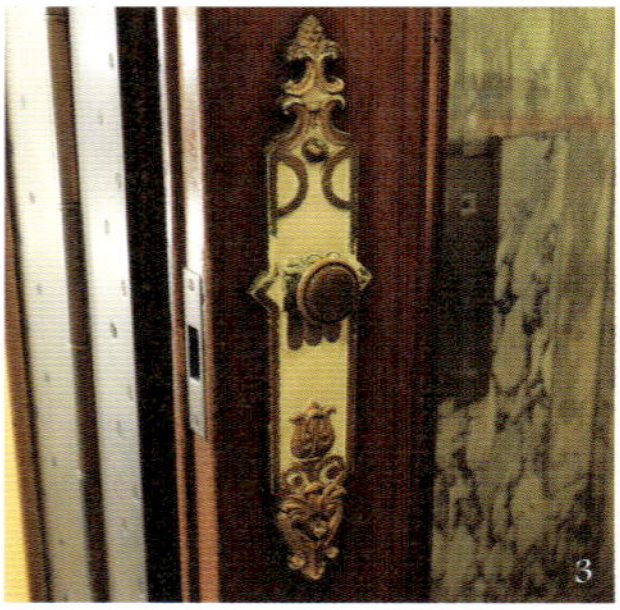

3

1.吹き抜けホールの明かり取り天井。華麗な装飾でステンドグラスのように輝く。2.手すりは幾何学的なアール・デコ調。3.豊饒《ほうじょう》な洋館のようなデザインのドアノブ。4.照明器具も意匠性が高い。5.吹き抜けに面した天井は東洋風で色鮮やか。6.ライオン像の背後には遺跡のような細部。7.吹き抜けに面したパネルには6種のデザインが工夫されている。

7

2

1

3

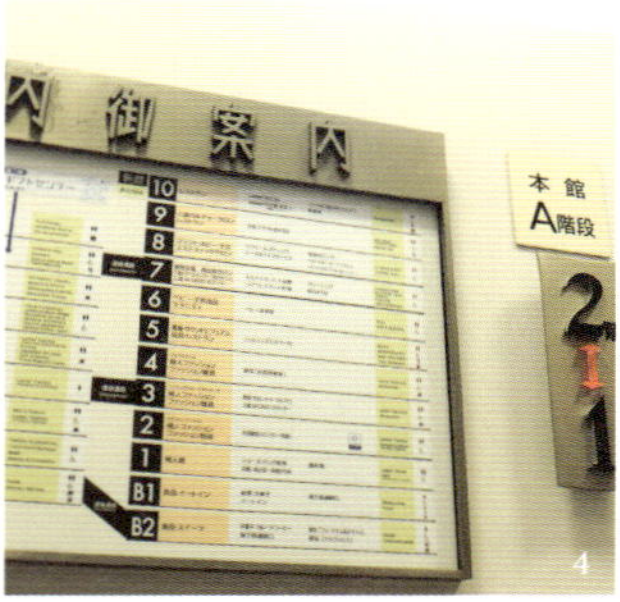

4

5

1.吹き抜けに立つ高さ約11mの天女像。日本芸術院会員の佐藤玄々が京都・妙心寺内のアトリエで弟子たちと制作した作品で、完成までに約10年の歳月を要した。2.何様式と一口に言えないインテリアデザイン。3.レトロなエレベーター。4.5.案内板、地下鉄の入り口のレトロなタイポグラフィ。6.中央玄関上部に輝く店章。1904年に定められた。7.8.階段にも大理石が惜しげもなく使われている。大理石の中にはっきりとアンモナイトの姿が見て取れる。

6

歴史を物語る意匠の数々が
豪華さの中に点在する

7

8

ロマネスク様式のユニークな動物たち

太洋商会　丸石ビル

Taiyo Shokai
Maruishi Building

no.21

Toshiro Yamashita

1931

山下寿郎／SRC造 6階、地下1階

Access

東京都千代田区鍛冶町1-10-4／JR「神田」徒歩4分

動物たちがたくさんいるのが、ロマネスク様式の証。中世の教会や修道院がそうであったように、柱の頭にフクロウやリスがまぎれ込み、アーチには牛や魚の姿も。羊を踏みつけてじっと構えているのは、玄関左右の獅子像。これが以前はビルの反対側にあったと知ったら、驚かれるのではないでしょうか。今は裏面でも、戦後に埋め立てられるまでは龍閑《りゅうがん》川という堀が流れて、荷物を運ぶ船が行き来していました。水面に映える人懐っこい装飾。想像をかき立てるビルです。

1.どこか神妙な表情の獅子像。かつては4頭がビルの南側にあった。2.動物の他、生い繁る植物や老人の顔の彫刻も。3.今も人気のテナントビル。完成時は1階が自動車のショールームだった。

no.22

Hermann Gustav
Louis Ende,
Wilhelm Böckmann,
Kozo Kawai

1895

赤レンガの堂々たるネオ・バロック様式

法務省旧本館

Ministry of Justice
Old Main Building

ヘルマン・エンデ+ヴィルヘルム・ベックマン+河合浩蔵／レンガ造 3階

Access

東京都千代田区霞が関1-1-1／東京メトロ丸の内線・千代田線「霞ヶ関」徒歩2分

当時の実力者である井上馨は1890年の国会開設を機に、議事堂や官庁が集中し、街路や広場で彩られた東京への改造を企てます。起用したドイツの建築家エンデとベックマンににデザインさせたのは、ヨーロッパに負けない威風堂々とした街並み。

　しかし、井上は条約改正の失敗で失脚し、壮大な計画は幻に。彼らが基本設計した本建物だけが、ドイツ流のネオ・バロックのスタイルを伝えます。

no.23

Matsunosuke
Moriyama

1930

「モボ、モガ」時代の銀座の商社ビル

ヨネイビルディング

Yonei Building

森山松之助／SRC造 6階

Access

東京都中央区銀座2-8-20／東京メトロ銀座線「銀座一丁目」徒歩1分

昭和初めに建てられた商社のビル。アーチ窓にねじり柱、バルコニーは街への表情を作り出す。風格あるビルは、現在のように1階に洋菓子店が入っても似合います。少し前の銀座にもこうした建物が並んでいました。

　設計者は森山松之助。台湾で多くの作品を手がけ、多数が大切にされています。国立台湾文学館となった台南州庁には彼の業績を知らせるコーナーも。日本より台湾での方が有名かもしれません。

岡田信一郎

おかだ しんいちろう◎1883年、東京に生まれる。1907年から1932年の逝去まで東京美術学校(現 東京芸術大学)、早稲田大学で教鞭をとる。設計作も多く、本書掲載以外の現存作品に黒田記念館(東京都台東区、1928)、東京藝術大学大学美術館 陳列館(東京都台東区、1929)、琵琶湖ホテル(現 びわ湖大津館、滋賀県大津市、1934)などがある。
[本書掲載=鳩山会館→P.30、明治生命館→P.54]

「様式の名手」と呼ばれ早逝した秀才

東京帝国大学時代の岡田信一郎は芝居が大好き。「角帽をかぶって劇場を訪れるもんだから、そんなやつは初めてだと新聞に書かれた」と、大学同期の建築家である松井貴太郎がエピソードを明かせば、「製図しながら、よく調子っぱずれな声で歌っておりました(笑)」と受ける静子夫人。戦後のある座談会での一幕です。添えられた夫人の白黒写真に目を落とせば、小さくてもわかる美人ぶり。

それもそのはず。夫人は、かつて萬龍《まんりゅう》の名で一世を風靡した芸妓でした。1909年に文芸雑誌で行われた芸妓人気投票で1位となり、流行歌に歌われ、三越やキリンビールなどの広告に起用されたという、いわばスターです。

1位といえば、岡田も大学卒業時に天皇陛下から銀時計を賜った秀才。29歳の時、《大阪市中央公会堂》の指名コンペで最年少ながら1等を獲得。颯爽とデビューします。

ただ、岡田夫人の結婚は2度目。箱根で大洪水に遭い、逃げ遅れたところを助けられた東京帝国大学の学生・恒川陽一郎と運命的な恋に落ち、1913年の人気絶頂時に引退し結ばれます。これ自体も当時の大きなニュースに。しかし、不幸にして4年後に恒川が病没。相談に乗っていた恒川の友人・岡田の同情が愛情に変わったと言います。

そんな角帽をかぶって芝居に行ってしまうような真面目と器用、正統と異端、社会性と個人性が背中合わせなのが、この建築家の魅力です。

3代目《歌舞伎座》(1924)の設計で様式主義建築の骨格と和風の意匠を違和感なく組み合わせるなど「様式の名手」と称されます。その一方で合理的、先進的。教鞭をとった東京美術学校では教え子の水谷武彦にバウハウス留学を勧めるといった一面も。

岡田は病弱でした。そのため一度も海外を訪問できず、これからという49歳で没します。それでも様式の真髄を理解した努力の人であり、不運の人。でも、再び未亡人となった岡田夫人が楽しげに懐かしんでいる様子に、社会に幸せを置いて精一杯に生きた、彼の人生の充実を感じます。

III

Around Tsukiji Area

築地周辺エリア

Catholic Tsukiji Church

no.24

Marie-Gabril-
Joseph Giraudias,
Otojiro Ishikawa

1927

ジロジアス神父＋石川音次郎／木造２階

木造モルタルで作り上げた古代ギリシアのスタイル

カトリック築地教会

1

3

古代ギリシアの神殿のスタイルを採用した教会です。古代ギリシアが栄えたのは紀元前ですから、キリスト教と直接の関係はありません。ただし、その頃の建築は、変わらない美の原点とヨーロッパでみなされてきました。

この場所には１８７４年、東京で最初のカトリック教会が建設されました。関東大震災で倒壊した後の再建で、このスタイルを希望したのは当時の大司教だったと言われます。オーダー［P.49参照］の中でも力強いドリス式を採用しています。どんなことがあっても、ここが信仰の原点であり続ける希望を、形に託したのかもしれません。

面白いのは、これが木造であること。左官職人の腕が光るペディメントの装飾も定期的に塗り替えられています。日本の技と信者の思いによって、最も西洋的な形を東京で目にできるのです。

1.もとは畳敷きだったという聖堂。言われればその面影が感じられる。奥には、イエス・キリスト像と、幼きマリアとキリスト像が据えられている。2.3.一見すると石造のように見えるが、木造モルタル造。左官の仕事が生きている。

Access

東京都中央区明石町5-26／東京メトロ日比谷線「築地」徒歩7分、有楽町線「新富町」徒歩６分

ステンドグラスには
福音のシンボルが

1

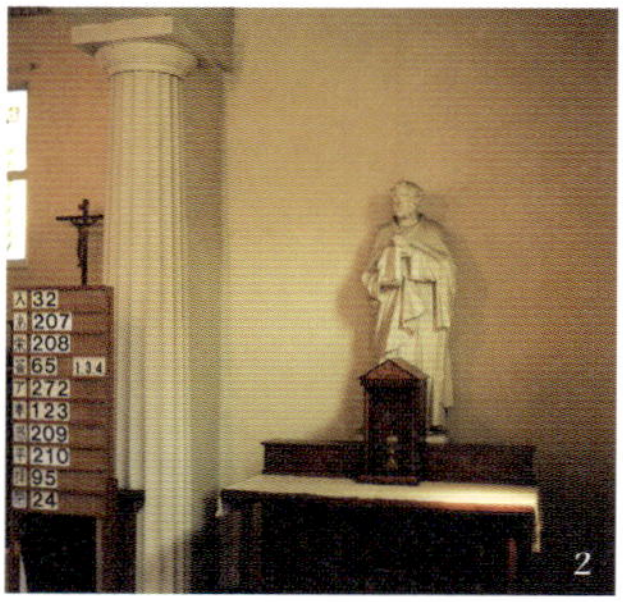

2

3

4

5

1. 福音のシンボル、ブドウ・ユリ・麦が描かれたステンドグラスは、柔らかな色使い。2. 関東大震災の被害を唯一逃れた聖ペトロ像と聖櫃《せいひつ》。3. 小さなオルガンにつつましい美しさが。4. 1876年にフランスで作られたアンジュラスの鐘は、今もお告げの鐘として使われている。5.6. 内部でも神殿のようなオーダーがりりしい。

St.Lukas Chapel, Teusler Memorial

医療と祈りをひとつにした本格的なゴシック様式

聖ルカ礼拝堂・トイスラー記念館

（学校法人 聖路加国際大学）

no.25

John van Wie Bergamini

1936

1933

[聖ルカ礼拝堂] 1936年／ジョン・バン・ウィ・バーガミニ／SRC造 2階

[トイスラー記念館] 1933年／ジョン・バン・ウィ・バーガミニ／RC造＋木造 2階、地下1階

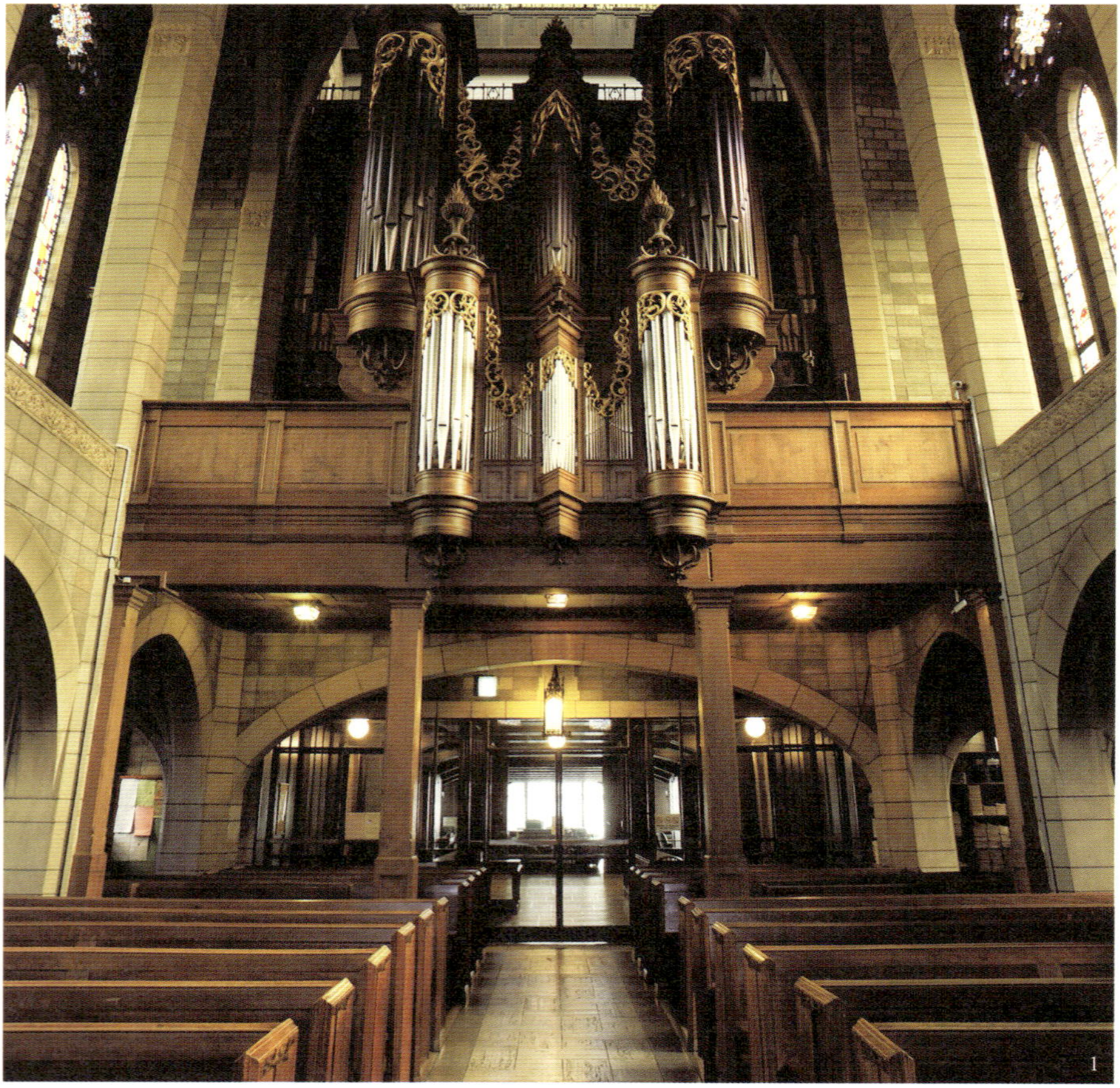

1

本格的なゴシック教会堂の空間に、国内で出会うことができます。それにしても、医学と礼拝堂とはどのように結びつくのでしょうか？

前室の壁に貼り付けられたハエや蚊、南京虫のレリーフは、伝染病を運ぶ虫たちです。中世のゴシック教会で、キリスト教の光に照らし出されたガーゴイルなどの怪物が白日の下にさらされているのと一緒。病気の原因が照らし出されれば、治癒も遠くないというわけです。

科学の力により、医学は飛躍的に成果を上げ、今も進歩し続けています。他方で、まだ人間というものにわからない部分があるとしたら、心の平安も重要。過去の人たちもそうして歩んできたのだと実感する形が、今日も人々を元気づけます。

1. 旧館の2階に上がると、そこは聖ルカ礼拝堂。入口上部には本格的なパイプオルガンが据えられている。※写真は天井改修工事前のもの。2. 柱から天井に線が伸びたようなリブヴォールトも、ゴシック様式の特徴。3. ゴシック様式の伝統を守りながら、ステンドグラスのパターンは抽象的でモダン。

Data

［聖ルカ礼拝堂］開＝8:30〜17:00（病院外来休日や行事日などを除く）
※2022年10月現在、保存改修工事のため立入り禁止。2023年3月完了予定。
※トイスラー記念館は内部一般非公開

Access

東京都中央区明石町10-1／東京メトロ日比谷線「築地駅」徒歩6分、有楽町線「新富町駅」徒歩7分

1

2

1.ステンドグラスとパイプオルガンの曲線が響き合う。2.すべての礼拝に信者以外も、他教派の方も参加が可能。3.周囲の壁には病気を寄せつけないようにと願いを込めて、ハエや蚊、南京虫、ノミなど病原菌の発生原因となりうる虫や生き物が彫り込まれたレリーフ。4.長椅子に施された彫刻も味わい深い。5.天井を見上げると、そこにも繊細な文様が。6.クジャクの羽根と絡まるツタが優美に装飾化された照明。ギザギザした形態は当時流行したアール・デコの特徴を示している。7. 床には不死鳥や天秤、アスクレピオスの杖など医学に関わるレリーフも埋め込まれている。8. 前室には、創設者の米国人宣教医師ルドルフ・トイスラー博士の写真が飾られる。9.傍にあるトイスラー記念館も、宣教師館として同時期に建設された。

心を鎮めるオレンジの光に
照らされた場所

7

8

3

4

5

6

9

Yamani Securities

no.26

Yoshitoki Nishimura

1936

西村好時／RC造 4階、地下1階

Access

東京都中央区日本橋兜町4番1号／東京メトロ日比谷線「茅場町」徒歩6分、銀座線・東西線「日本橋」徒歩7分

安心感を与える瀟洒なスパニッシュ邸宅風

山二証券株式会社

1

ビジネス街のイメージが強い兜町の一角に、邸宅のような建物が潜んでいます。

ねじり柱が、簡潔な玄関のアクセントになっています。建物全体はわざと左右対称を崩しています。不規則な2つの窓は、ここだけ装飾的であることで、心に刻まれる光景を作っています。安心感があって、資産運用にも親身に相談に乗ってくれそう。

設計者の西村好時《よしとき》は隣に建つフィリップ証券（成瀬証券）をはじめ、古典主義様式の設計作で有名です。偉くなっても鉛筆を離さなかったと伝えられるほどの設計好きでしたから、昭和初めに流行したスパニッシュスタイル［P.139参照］を取り入れたこのビルもお手の物だったに違いありません。家庭的と言える規模の証券会社が並んでいた、かつての兜町を象徴しています。

1.4. ねじり柱やランプがしゃれた雰囲気。証券会社の入り口というよりは、邸宅の玄関を思わせる。2.3. 丸窓や、窓の下の凝った装飾が美しい。

Tsukishima Police Station Nishinakadori Security Center

ちょこんとかわいい町を見守る小さな交番

警視庁月島警察署 西仲通地域安全センター

no.27

1926

RC造 平屋

1

建築としては最小の部類に属するでしょう。派出所や巡査よりも、交番やお巡りさんという言葉が似合いそう。

一人か二人でいっぱいになる小ささです。でも、鉄筋コンクリート造で作りはしっかり。デザインも忘れずに、入り口には帽子のようなひさしを付け、キリッとした表情を見せています。

こんな可愛らしい交番も、戦前に作られていたのです。交番としての長いお役目を終え、現在は地域安全センターとして、月島の町を見守っています。人気のもんじゃストリートの真ん中に位置しています。

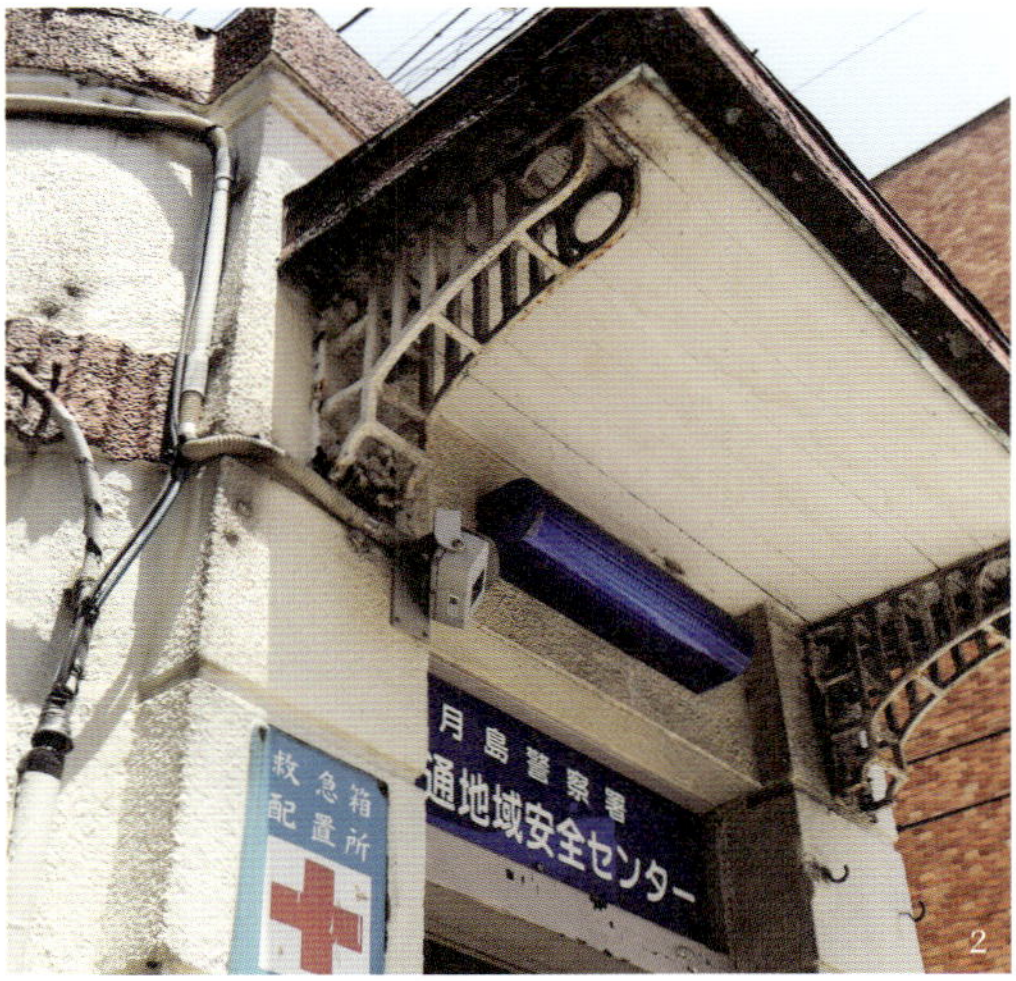

2

3

1.一人か二人しか入ることが出来ないサイズ感は、ぜひ間近で確かめて。2.正面のひさしを支える持ち送りもかわいらしい。3.赤とクリーム色の壁。いちごジャムでも挟んだカステラケーキのようなキュートな佇まい。

Access

東京都中央区月島3-4-3／東京メトロ有楽町線・都営地下鉄大江戸線「月島」徒歩5分

Old Tokyo Municipal Store Housing

往年の面影を残す店舗住宅にカフェの街で出会う

旧東京市営店舗向住宅

no.28

1928

東京市／RC造 2階

Access

東京都江東区清澄3-3／東京メトロ半蔵門線・都営地下鉄大江戸線「清澄白河」徒歩5分

1

3

2

清澄を含む下町は、１９２３年の関東大震災で多大な犠牲者を出しました。延焼による悲劇が再び起こらないように、当時の東京市が実験的に作った住まいが今も健在です。

１階が店舗、２階が住居というのは、昔ながらの町屋と同じ構成。大きく違うのは、地震にも火災にも強い鉄筋コンクリート造による共同住宅であることです。アール・デコやライト風を取り入れたデザインも当時の先端を行っています。

その後、増築されたり、壁や塗り替えられたりしていますが、それも使い続けられたことによる味ではないでしょうか。個性的な店舗の入居もここ数年で増えました。お店を巡りながら、頭の中で昔の姿を蘇らせるなんていう楽しみも。

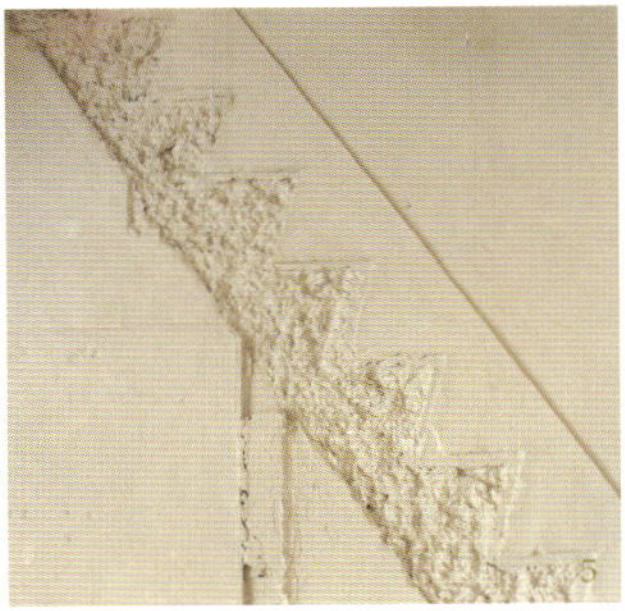
5

4

1.今では縦割り長屋の1戸づつが思い思いの色に塗り替えられていて、それも味わい。隅に残るライト風の装飾が、建てられた時代を象徴している。2.軒に連続する横のラインはアール・デコ調。3.ズラリ横並びに250メートルほど、この店舗向け住宅は続いている。全部で48戸が建てられた。4.5.今風にリノベーションしたショップも増えてきたが、内部には当時の階段跡なども残っている。

スクラッチタイルがレトロな洋食・喫茶

桃乳舎

Tonyusha

no.29

1933

木造 2階

Data

開＝月～金11:00～16:30／休=土・日・祝

Access

東京都中央区日本橋小網町13-13／東京メトロ日比谷線・東西線「茅場町」徒歩５分

店名の「乳」は、１９０４年にミルクホールとして創業したことから。ビジネスマンや学生といった職業が定着するにつれ、文明開化前はなかった種類のお店も現れます。ミルクホールもその一つ。まだ珍しかったコーヒーや軽食を提供する店として、明治から大正期に流行しました。

現在の店舗は関東大震災後に建てられたもの。屋号の「桃」が建物のてっぺんに彫られ、２階には浮いたような円柱。浮き足立ったレトロは健在で、今も定食が人気の喫茶・軽食店として流行り続けています。

1. 上部にはリアルな桃の装飾、建築家の定型からは外れたオーダーやアーチの作り方に親しみがわく。2. 関東大震災後に流行したスクラッチタイルが目を引く。3. ショーケースもレトロ。

テラコッタの装飾がかわいい

村林ビル

Murabayashi Building

no.30

Obayashi Corporation

1929

大林組／RC造 3階

Data

※現存せず。

Access

[旧所在地] 東京都江東区佐賀1-8-7／東京メトロ東西線「門前仲町」徒歩8分

街角の名ビルとは、こうしたものを言うのでしょう。まず目を引くのが玄関の装飾。2匹のドラゴンが向き合い、口から伸びた線は唐草模様に変わります。テラコッタと呼ばれる建築装飾用の陶器を駆使し、幻想的なロマネスク様式の図柄を見せつけています。

この見せ場を支えているのが、道路に沿ってカーブした壁や、堅実に配置された縦長の窓。戦前のビルは、長く街並みに風格を与えるデザインがモットー。玄関周りが最大の見せ場でした。このビルも同様。小さくても立派なビルなのです。

1.テラコッタによる装飾は日本では1920年代から30年代に流行し、戦後は用いられなくなった。じっくり味わいたい。2.ドアのデザインもロマネスク様式と呼応。3.堀ビル(P.72)にも通じる外観で、四つ角に建つ役割をしっかりと果たしている。

コラム3

いろんな階段

1.2.赤坂プリンスクラシックハウス 3.青淵文庫 4.雑司が谷旧宣教師館 5.学士会館 6.小笠原伯爵邸 7.東京都庭園美術館 8.堀ビル

2

1

4

3

5

8

7

6

IV

Shinjuku,
Ikebukuro
Area

新宿・池袋エリア

Waseda University Aizu Museum, Theatre Museum

まるで文学や演劇のように心を打つ

早稲田大学
會津八一記念博物館・演劇博物館

no.31

Kenji Imai

1925
1928

[會津八一記念博物館]
1925年／今井兼次／
RC造 2階、地下1階
[演劇博物館] 1928年／
今井兼次／RC造 3階、
地下1階

1

會津八一記念博物館は、早稲田大学の旧図書館。図書館というのは堅苦しいものですが、内部に広がるのは、形式にとらわれない、ロマンティックな世界。演劇博物館は16世紀のイギリスの劇場を模して作られました。

どちらも建築家・今井兼次の設計です。創造と模倣、過去との取り組み方は対照的。でも、形によって、あったかもしれない世界を作り出す手つきは似ています。

心にそう感じさせるうえで大事なのが、理屈では決まらない細部。おろそかにしない細部の組み立てから、信じて生きたいと思える世界が生まれます。これは、文学や演劇のような建築です。

1.會津八一記念博物館の大階段。主に中世の西洋の様式からインスピレーションを得てデザインされた数々の細部。2.1階ホールの6本の円柱。過去の何とも同じではなく、構造を支えているだけとも思えない形。不思議な説得力で雰囲気を作っている。3.円柱に似た下が細くなった形が所々に顔を見せる。

Data

[會津八一記念博物館] 開=月〜土10:00〜17:00（企画展開催中の金曜は企画展示室のみ18:00まで）[演劇博物館] 開=10:00〜17:00（火・金は19:00まで）

Access

東京都新宿区西早稲田1-6-1／東京メトロ東西線「早稲田」（3aまたは3b出口）徒歩7分／都電荒川線「早稲田」徒歩5分

1

2

ここが図書館の
閲覧室だった時代に
頁を繰ってみたかった

3

1. 人の気配を想像させる閲覧室のバルコニー。重みを支えていなさそうな華奢なディテールが心を揺らす。2. 大扉の優美な意匠。さまざまなモチーフの自在な取り合わせは、見ていると吸い込まれそう。3. 無装飾の壁だからこそ印象的な明かりの色彩。4. 旧図書館時代の閲覧室。ヴォールトとアーチ(P.162「聖徳記念絵画館」参照)を立体的に組み合わせたモダンな全体形と幻想的な細部が同居する。5. 幾何学形と柱頭の様式のどちらにも見える。

2

1

3

フォーチュン座を模した建物
演劇史を歩くように訪ねる

1.1600年にロンドンに建ったフォーチュン座を模した演劇博物館。詳細な図面や写真が残っているわけではないが、想像の翼を広げ、細部がデザインされている。2.存在感のある玄関の柱頭。3.階段も一つのシーンを作っている。館内では、西洋演劇から東洋演劇、民俗芸能、映画やテレビまで多くの資料に出会える。4.鉄筋コンクリート造であることを感じさせない。5.建物正面にある張り出し。フォーチュン座ではここが舞台となり、両脇の突き出た部分が桟敷席、建物の前が一般席に当たる。6.建物正面にはラテン語で「全世界は劇場なり」と掲げられている。

Student Boarding House Nihonkan

郷愁漂う古きよき学生下宿

学生下宿日本館

no.32

1929

木造 2階

1

戦前から続く、今では数少なくなった学生下宿です。まず目を引くのは、立派な玄関まわり。丸い屋根と縦長窓で、まるで大きな洋館のよう。洋館が少なかった時分は、よく借りている学生が友達に自慢したことでしょう。

十分に年代物ですが、中に入れば玄関も廊下も美しく保たれています。心の美しさが現れたような美しさです。

もう一つの特徴が、池のある中庭。数寄屋風の渡り廊下、鯉も泳いで、豊かな気分になります。ここで「日本館」の名称にも納得です。

一人一人ではなく、みんなで共有するからこそ、和洋ともに大きなものが持てる。互いの気遣いも忘れずに。社会の仕組みも身につく、生きた勉強の下宿です。

1.優しいカーブに人造石研ぎ出しの床と木製の靴箱のコントラストもりりしい玄関。2.共同の水周り、タイルの取り合わせも石鹸置きもかわいい。3.光降り注ぐ中庭。都心とは思えないくらいに空が広い。

Data

※現存せず。

Access

[旧所在地] 東京都新宿区高田馬場1-9-1／東京メトロ副都心線「西早稲田」徒歩5分

祖父母の家に遊びに来たような懐かしさ

1

2

3

4

5

6

7

8

9

1.こざっぱりした館内には、いわれのありそうな物が所々に。2.呼び鈴のボタンもポイント。3.スイッチもレトロ。4.玄関のタイルも昭和初めのまま。5.中庭に面した渡り廊下は数寄屋風。6.随所に整えられた生活の美しさが感じられる。7.まっすぐの廊下に健やかな空気が流れる。8.キャラクターのある外観。マンガなどで描かれることが多いのにも納得。9.外壁の下半分がオリジナル。大谷石の積み方ひとつにも邸宅のような趣味性が。

Bankoro, Seienbunko

no.33

Junkichi Tanabe

1917
1925

細部まで楽しみたい工芸の技

晩香廬・青淵文庫

[晩香廬] 1917年／田辺淳吉／木造 平屋
[青淵文庫] 1925年／田辺淳吉／レンガ造＋RC造 2階

1

建築が贈り物となった時代がありました。晩香盧《ばんこうろ》は渋沢栄一の喜寿（数え年で77歳）を祝して、清水組4代目当主の清水満之助が贈った小建築。渋沢は明治から昭和にかけて、約五百社とも言われる多くの会社を育てた人物です。清水組、つまり現在の清水建設もその一つ。江戸時代の大工組の名残りを残した頃から後押しし、近代的な建設会社への道を整備しました。大建築にも負けない凝りようが感謝の表れです。

青淵《せいえん》文庫は、渋沢の傘寿（数え年で80歳）と子爵になったことを記念して寄贈された書庫。こちらは彼を慕う人々が集う竜門社からの、個人的な贈りものです。

1.青淵文庫の閲覧室は応接室として使われただけあって見事。2.閲覧室と外のテラスとの間にはステンドグラス。柏の葉に加えて、龍や唐草や「壽」の文字といった縁起の良いモチーフで飾られている。3.貴重本の所蔵庫らしい重厚さと、お祝いの品らしい繊細さを併せ持つ。4.鋳鉄製の手すりにも「壽」の文字。

Data

※開・休＝渋沢史料館公式WEBサイトにて確認を。
https://www.shibusawa.or.jp/museum/

Access

東京都北区西ケ原2-16-1（飛鳥山公園内）／JR「王子」（南口）徒歩約5分／東京メトロ南北線「西ケ原」徒歩約7分／都電荒川線「飛鳥山停留所」徒歩約4分

しっとりとした
色彩が舞う

1

2

3

4

5

6

7

8

9

1.電熱器のグリルに至るまで文様が施されている。2.日本では縁起の良い図柄とされてきたコウモリをカーペットにアレンジ。3.渋沢家の家紋・柏の葉をモチーフとしたタイルはオリジナル。4.小さなタイルで図柄を作っている。5.色彩豊かなステンドグラス。6.照明の装飾も細やかだ。7.閲覧室に掲げられた青淵文庫の文字。8.9.2階の書庫へと続く階段も重々しい。

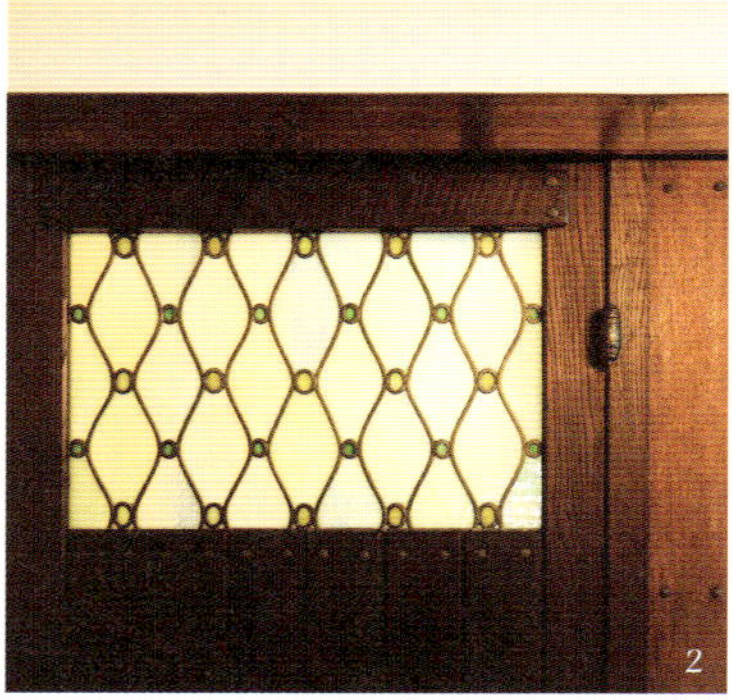

「晩香廬」の名には「晩節を清く」との渋沢の思いが

1.晩香廬の軒下で明かりが優しく灯る。2.素朴な図柄、懐かしい色彩のステンドグラス。3.さまざまな色合いのタイルの取り合わせ。4.西洋の田舎家のような雰囲気。5.屋根の上に煙突がのぞく。菊を晩香の象徴であるといい、「晩節を清く」という思いを込めて、渋沢栄一が「晩香廬」と名づけた。6.天井の装飾にはリスや鳩が潜む。設計者の腕と職人の技が盛り込まれた室内。

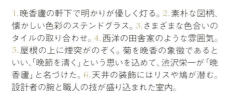

5

6

no.34

Frank Lloyd Wright

1921
~25

フランク・ロイド・ライト／木造２階

幾何学模様とやさしい色合い光に満ちた学校

自由学園 明日館

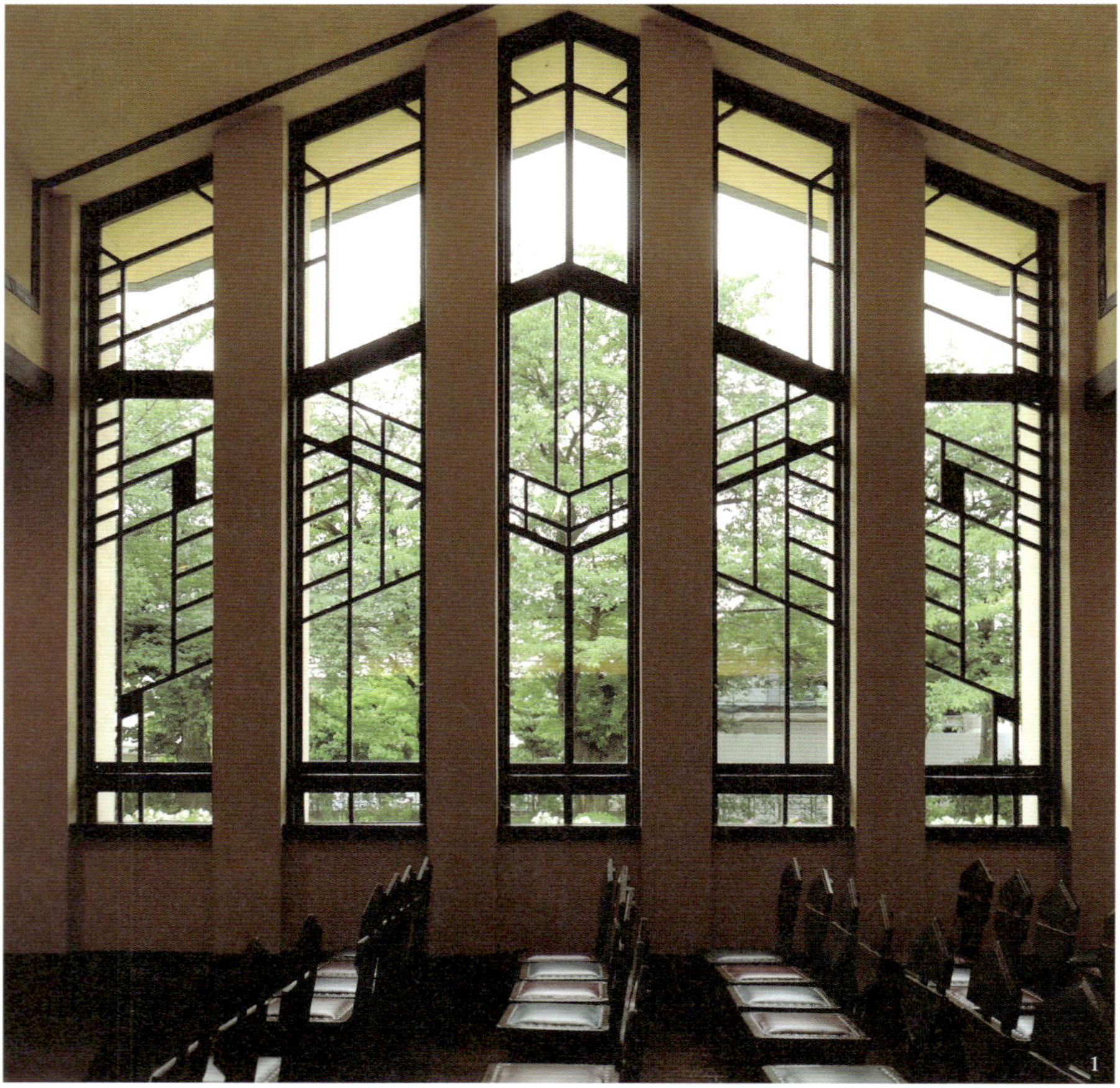

1

3

2

自由学園を創設した羽仁《はに》もと子・吉一夫妻は、権威を踏襲するのではなく、暮らしを合理的に改善できる人を育てる場の設計を、世界的建築家のフランク・ロイド・ライトに依頼します。

出来上がったのは、それまでにないような校舎でした。中央に生徒が集まるラウンジホールがあります。大きなガラス窓から注ぐ光が、天井の高い空間を満たします。壁に縛られない開放感を、食堂やホール2階部分へ続く立体的な構成が強めています。左右に伸びる教室は、それに比べると低く、陰影の中で、ライト独特の幾何学や大谷石の素材感が意味を持ちます。

従来のしきたりにとらわれず、人間の感受性から出発して、新しい社会を築こうとする。そんなライトの建築家としての個性を、羽仁夫妻が見通していたのかもしれません。

1. 天井まで開いたラウンジホールの窓。木製の窓枠や桟は当時のライトが得意とした直線を組み合わせた意匠。2. 家具も建築に合わせたデザイン。特徴的な六角形のモチーフは建築との調和を考えたもの。3. 右手を上がった部分が食堂。空間が立体的に続いている。

Data

開=10:00〜16:00、18:00〜21:00(毎月第3金曜日のみ夜間見学)/休=月、年末年始
※見学可能日は事前に要問い合わせ

Access

東京都豊島区西池袋2-31-3/JR「池袋」(メトロポリタン口)徒歩5分、「目白」徒歩7分

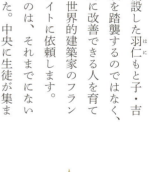

1

2

朝の光も
午後の光も夕闇も
物語のような
陰影を作り出す

3

4

5

6

1.特徴的なホールの空間は前庭からの眺めにそのまま現れて、屋内での経験が外からも直接思い出せる。伝統的な西洋建築にはあまりない出来事。2.味わいのある大谷石をライトは好んだ。3.玄関はあえて低く抑え、空間に抑揚を与えている。4.デザインを変えるだけで、同じ素材の窓でも豊かになる。ライトは手で設計し、手で作ることの可能性を探った。5.ライトの設計を弟子であり、羽仁夫妻にライトを紹介した遠藤新が引き継いで、明日館は1921年から25年にかけて次第に完成した。1921年4月に建築開始直後の教室一室で開校した。6.食堂の中でも遠藤新がデザインした部分。陰影を効果的に設計するのもライト流。7.中心に位置する当時の食堂。羽仁夫妻の教育理念の一つが生徒が皆で食事を作り、一緒に食することだった。V字型に吊るされた装飾的な照明はライトのデザイン、家具は遠藤新のデザインに基づいて保存工事の時に作られた。

Zoshigaya Missionary Museum

アメリカの邸宅風
清廉で心地よい
佇まい

豊島区立
雑司が谷旧宣教師館

no.35

1907

木造 2階

木造洋館の清々しさが印象的です。石造や煉瓦造ではできない大きな窓。そこに光と風が通過します。床の輝きは通り過ぎた年月を思わせ、壁に塗り重ねられたペンキは日々の丁寧な暮らしを連想させます。決して豪華な作りではありません。しかし、ある時代を切り取ったような存在感があります。

アメリカのテネシー州に生まれたマッケーレブは、明治半ばにこの国にやってきました。築地、神田、小石川を転々とした後、明治末に農村から住宅地へと変わりつつあった雑司《ぞうし》が谷《や》に腰を落ち着け、この住宅を拠点に、戦争が日本とアメリカとの仲を引き裂く１９４１年まで宣教活動を続けます。

今も大事に扱われていて、フロンティアを暮らす宣教師と、かつての郊外の風景が、ふと現れてくるようです。

1. 住宅地の中でふと姿を見せる、落ち着いた印象の洋館。下見板張りの白い外壁が美しい。カーペンターゴシックという、19世紀にアメリカ郊外で流行していた建築様式が用いられている。2.3. 上げ下げ式の窓の装飾や、方杖にカーペンターゴシック様式の要素が窺える。

Data

開＝9:00〜16:30／休＝毎週月曜、第3日曜、祝日の翌日、年末年始

Access

東京都豊島区雑司が谷1-25-5／東京メトロ有楽町線「東池袋」「護国寺」徒歩10分、副都心線「雑司が谷」徒歩10分／都電荒川線「雑司ケ谷」徒歩7分

1

3

2

4

ふと見上げると
天井が和式
ほっこり和む

6

1.アメリカで手に入る材料でヨーロッパのゴシック様式を模した、カーペンターゴシックのスタイル。2.3.細部も凝っている。暖炉は装飾的なタイルで彩られている。4.2階のサンルームには明るい光が注ぐ。5.天井は格子天井。見上げると、実は日本建築にも通じる技術であることがわかり、面白い。6.階段手すりは繊細な味わい。

Anglican-Episcopal Church in Japan, St. Cyprian Cathedral

100年前のステンドグラスに心奪われて……

目白聖公会 聖シプリアン聖堂

no.36

Shotaro Tsuboi

1929

坪井正太郎／木造 平屋

1

聖公会はカンタベリーの大主教を首長とする英国聖公会を母体に、世界80カ国に広がる教会。日本には幕末の１８５９年に米国聖公会から２人の宣教師が来日して礎を築き、１８８７年に日本聖公会が創立されました。

全国各地で戦前からの日本聖公会の教会に出会えて、早い時期からの活動の広がりが分かりますが、東京では聖シプリアン聖堂が唯一。バシリカ式と呼ばれる古代ローマ時代からある教会のスタイルに触れられます。

ステンドグラスも伝統的。こちらはイギリス・コーンウォール地方の中心地トゥルーロのエピファニー修道院から１９８５年に譲り受けたものです。繊細な唐草文様には、制作された１８８９年当時のジャポニズムの影響が見られます。教会の扉は、国外へと続くドアです。

1. バシリカ式の教会では、中央の天井が高い部分を身廊、両脇の低くなった所を側廊と言う。その高低差の間に窓をとる。2. 外観も教会の典型を示している。3. 側廊に並ぶステンドグラス。

Data

礼拝＝日曜日（7:30聖餐式、9:30日曜学校、10:30聖餐式、17:00夕の礼拝）、聖日（7:30聖餐式）、第一日曜後水曜日（10:30逝去者記念聖餐式）
※どなたでも参加可能

Access

東京都新宿区下落合3-19-4／JR「目白」徒歩５分

1

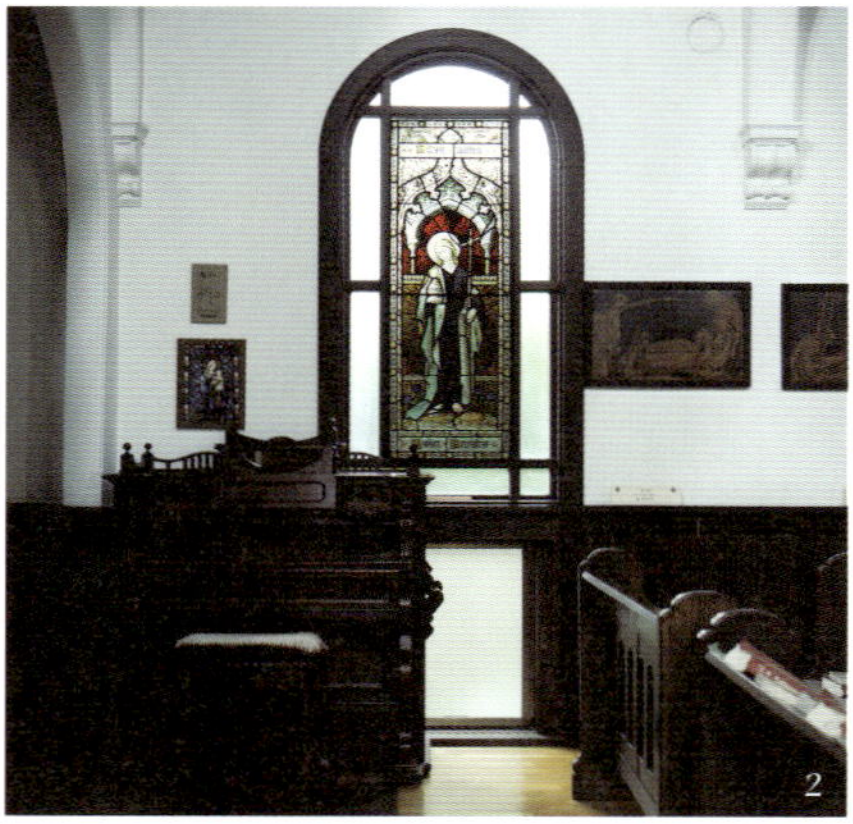

2

3

リズミカルなアーチが美しい

1.2.ステンドグラスには聖家族の神殿奉献の物語が描かれている。3.丁寧に装飾された、バシリカ式の祭壇。4.身廊と側廊をつなぐカーブが美しい。5.アーチがリズミカルな内部。高い位置にある窓は1階での操作で開けられる。空調のない時代、風通しは大切だった。6.精巧に仕立てられた柱頭。

6

5

Ogasawara Earl House

きらびやかな意匠も見事なスパニッシュ邸宅

小笠原伯爵邸

no.37

Sone & Chujo Architectual Office

1927

曾《そ》禰《ね》中條建築事務所／RC造 2階、地下1階

2

3

スパニッシュスタイルと言われるものが、１９２０年代を中心に流行しました。太陽が似合い、手の込んだこの様式は、例えばアメリカ西海岸のビバリーヒルズでも、この頃から建ち始めた映画関係者の豪邸に駆使され、今も高値で取引されています。

小笠原伯爵邸は日本随一のスパニッシュスタイルの邸宅。小笠原家第30代当主・小笠原長幹伯爵の本邸として作られました。葡萄棚をデザインした玄関庇、邸内に光をもたらす中庭から、生命の賛歌を歌い上げる色鮮やかなタイル装飾まで、見どころは尽きません。現在はスペイン料理店として営業中。素材を生かし、目を愉しませる色彩を堪能しに訪れては。

1. 玄関には、葡萄棚をモチーフとしたキャノピーが。カラッと晴れた地中海にいるよう。2. 葡萄は実り、花は満開。羽を広げるトンボや集まる鳥たちを、太陽が照らす。立体的で色あせないテラコッタの特性を生かした、本当に楽しげな装飾。張り出した内部がシガールーム。3. パティオには、屋上庭園に続く階段がある。パティオも屋上も、現在はパーティスペースとして生かされている。

Data

[レストラン] ランチ＝11:30〜15:00、ディナー＝18:00〜23:00

Access

東京都新宿区河田町10-10／都営地下鉄大江戸線「若松河田」（河田口）徒歩1分

1

シガールームには
イスラム様式の
荘厳なモチーフ

2

3

4

5

1.シガールームのイスラム風も、国内であまり見ることのできない本格的なもの。2.ヨーロッパの煙草や葉巻がトルコやエジプトから入ったことから、洋館の喫煙室をイスラム風に作るのが当時の慣わしだった。3.直線的なアラベスク文様。金色もイスラムのイメージ。4.シガールームは男性が語らう場でもあった。書斎のような渋みはそのため。5.設計者の曾《そ》禰《ね》達蔵《たつぞう》の師、ジョサイア・コンドルの本国であるイギリスを思わせるテイスト。6.外光で浮き立つ天井の色彩。レストランとして使われる以前には色あせていたが、完成当時の資料をもとに二科展所属の画家の手によって復元された。

6

1

2

1.2. かつての食堂。中央の大テーブルは伯爵家で実際に使用されていたもので、現存する唯一の家具。3. たくさんの鳩が空に舞うステンドグラスは日本の第一人者・小川三知の作品。遠近法を用いた彼にはまれな構図。4. ブーケのような可憐なステンドグラスも小川三知によるもの。こちらも珍しいピラミッド型の構成。5. ドアの上の鉄製装飾にも鳥たちが。一瞬、籠の中の鳥と、大空を舞うステンドグラスの鳥が重なる。6. クローク上部にある唐草紋様の鉄製装飾。7. かつての応接間はクリーム色の壁に丸みを帯びた装飾。隣の食堂と大きく雰囲気を変えて。

3

4

5

6

7

重厚さと華麗さを
併せ持つ
夢のような建築

Gakushuin University Archives

静謐で美しい白い空間

学習院大学 北別館

no.38

Masamichi Kuru

1909

久留正道／木造 平屋

1

学習院は、明治終わりの1908年に目白の地に移転しました。翌年に完成した旧図書館の一部が、現在の場所に移築されています。明治終わりに建てられた旧図書館の一部が、現在の場所に移築されています。白樺派のメンバーや三島由紀夫も利用した木造の図書館は、周囲の緑と対話しているかのよう。時が流れるほどに気づく空間の健やかさ、細部のウィット。都心を離れたキャンパスの中の、さらに個人に没頭できる場所が丁寧にデザインされています。

　何かのための手段ではなく、要約すると、失われてしまうもの。設計者の久《く》留《る》正道《まさみち》は、それを大事にしてきたのかと思わせます。彼は文部省の技師として上野の旧奏楽堂や帝国図書館(現・国際子ども図書館)なども設計。大正時代に花開く文化を用意しました。

1. 窓の意匠。華美でも威圧的でもないデザインに、職人の腕も光る。2. 採光のための天窓も健在。館内を優しく照らす。3. 木立が似合う下見板張りの洋風建築。図書館として建てられた時は左右対称だった。後にレンガ造の書庫が切り離されて移築され、現在のようにL字型の平面に。

Data

※2022年10月現在、大学図書館情報管理課事務棟として使用中。

Access

東京都豊島区目白1-5-1／JR山手線「目白」徒歩1分／東京メトロ副都心線「雑司が谷」徒歩7分

1.しっかりと様式に根ざした細部が設計者の素養。学習院の校章である桜が中央にそっと閉じ込められている。2. 近づくと軒先や持ち送りの繊細さに気づく。3.遠目には大らかな屋根。プロポーションの美しさが生む品位。4.左右の木の曲がり方が異なる。規則的すぎないデザインが郊外に似合う。5.窓ガラスの一部は、明治期のゆがみガラスを今も残している。6.床下の空気抜きにも桜のモチーフが。7.開かないと分からない扉の蝶番に秘められた桜。

5

細部まで繊細に
時にはウィットを忍ばせて

7

6

Rikkyo University, Main Daining Hall

no.39

Murphy & Dana
Architectural Office

1918

マーフィ&ダナ建築事務所／レンガ造 1階 平屋

ハリーポッターの世界を思わせる優雅な大食堂

立教大学 第一食堂

1

開くことと閉じることのバランスが、大学で大事なことかもしれません。

　日本を代表する総合大学の一つである立教大学は、明治初めに築地居留地で産声を上げました。聖書と英学を教えるわずか数人の生徒の学校でした。

　現在の池袋の地に移転したのは大正半ばの１９１８年。その時に建てられた校舎は、今も大学の中心です。本館のアーチをくぐると、レンガ造の建築に囲まれた空間があります。正面には食堂。メンバーに開かれた場所です。

　中世のゴシック様式を基にしたデザインも、中庭を抱いた構成も、そんな古い建物を使い続けている点も、イギリスやアメリカの名門大学と同様。

　社会の中の人間として過ごす時間と、流されずに大切なことを育む時間。どちらも大事だと考えさせる、再読したい教科書のようなキャンパスです。

1. 大きな窓と扉。扉の上には哲学者キケロの「食欲（本来は欲望）は理性に従うべし」とラテン語で掲げられている。2. レンガにツタが這う風情が美しい。ツタは立教大学のシンボル。3. 素朴な木組が見守る、食堂内部。4. 食堂の木製の椅子とテーブルは2002年の改装時から用いられている。背の部分には大学の第二のシンボルである「セントポール・リリー」の紋章。

Access

東京都豊島区西池袋3-34-1／JR、東武東上線、西武池袋線、東京メトロ丸ノ内線・有楽町線・副都心線「池袋」（西口）徒歩約7分

生まれ変わった白亜の建物

中央公園文化センター

Central Park Cultural Center

no.40

1930

RC造 3階、地下1階

Access

東京都北区十条台1-2-1(中央公園内)/JR「王子」「十条」徒歩15分

真っ白な壁が緑に映えます。中世のお城を連想させるのは、一番高い所にまわっている小さいアーチを連続させたような装飾。イタリアのロンバルディア地方が発祥とされるので、ロンバルディア帯と呼ばれます。

建物は陸軍東京第一造《ぞう》兵廠《へいしょう》の本部として建設され、戦後に接収されてアメリカ軍の施設として使われてきました。1981年から現在の形となり、公園として整備された一帯のシンボルとなっています。りりしい城郭から、平和なお城へ。建物のイメージはこうして変化しました。

1.中世の城郭のようなスタイル。戦さの準備のためのものなので、戦前は陸軍施設などに用いられた。2.造兵廠や工廠とは軍需工場のこと。この地に開設された1905年当時のボイラーが目を引く。3.本部ゆえ、立地も高台に。

美しすぎるかつての監獄

旧豊多摩監獄表門

1

Toyotama Prison
Main gate

no.41

Keiji Goto,
Tsutomu Yokohama

1915

後藤慶二＋横浜 勉／レンガ造

Access

東京都中野区新井三丁目（現・平和の森公園内）／西武新宿線「沼袋」徒歩3分

監獄というと、少し恐ろしげな響きですが、れっきとした近代の施設。牢屋のように罰を与えるのではなく、やり直しさせるのだという考え方から来ています。明治時代から目指されて来たのは、当時最新の技術とデザインによる人間的な建築。一流の建築家の活躍の場でもあったのです。

中でも旧豊多摩監獄は、当時から傑作と評されました。唯一残された正門も存在感と清々しさが同居して、大正時代らしいヒューマニズム。優れた才能を持ちながら35歳でこの世を去った後藤慶二の代表作です。

2

1.100年前から建ち続けるレンガ造の正門。この向こうに同じスタイルの建築が広がっていた。2.施設全体は1910年から5年がかりで完成。レンガは囚人たちの手で焼かれ、積み上げられた。3.デザインはそれまでの様式の重苦しさから脱して、清らか。

フランク・ロイド・ライト

Frank Lloyd Wright◎1867年、アメリカ・ウィスコンシン州に生まれる。シカゴで建築家ルイス・サリヴァンに学んだ後、1893年に独立。1959年に没するまで旺盛に活動し、400以上の実作と、同数程度の未完のプロジェクトを残す。浮世絵のコレクターでもあり、作品には日本建築からの影響も。
[本書掲載=自由学園 明日館→P.126]

スクラッチタイルを流行らせた世界的建築家

一人の建築家のデザインが、街の風景を書き換えるとは、そう考えられない事態。でも、日本では起こりました。発信源は彼です。

91歳で没するまで建築家として現役だったフランク・ロイド・ライト。生涯には２つのピークがあるとされます。

１つは独立して設計事務所を構えた１８９３年から１９１０年までの17年間です。本拠地としたシカゴ郊外のオークパークを中心に、従来の住宅のあり方を打ち破る「プレイリー・スタイル」と呼ばれる住宅で一世を風靡。その新しさは作品集などを通じて、ヨーロッパに伝えられ、過去に根ざないモダンデザインの展開を加速させます。

もう１つが落水荘で劇的な復活を遂げた１９３６年から１９５９年の逝去まで。らせん型の展示室を持つ《グッゲンハイム美術館》（１９５９）をニューヨークに完成させるなど、20歳年下のル・コルビュジエとも並び称される位置を確立します。

ライトは世界で知らぬ者のいない存在となった最初のアメリカ人建築家。さらに言えば、第一次世界大戦後も文化はヨーロッパに比べればまだまだと考えられていた国からの最初期の文化的発信です。アメリカでは建築界の枠を超えて、偉人のように扱われるのも納得です。

影響力は世界的ですが、独自性が高いため、デザインが一般化するという広がりを持たなかったことも、またライトという建築家の特徴。

例外は日本。１９２３年に開館した《帝国ホテル》は、ライトにとって、２つの黄金期に挟まれた低迷期の大プロジェクトでした。引っかき傷を付けたようなスクラッチタイルを初めて日本で焼かせ、大谷石を建材として用い、テラコッタで各部を装飾します。

このスタイルが、遠藤新らの弟子に引き継がれ、弟子以外にも「ライト式」や「ライト風」として真似され、スクラッチタイルなどの新たな建材は１９２０～３０年代のレトロ建築を語る上で欠かせないものとなりました。世界的建築家は日本とだけ、特別な関係を持っているのです。

V

Shibuya, Meguro
Area

渋谷・目黒エリア

Akasaka Prince Classic House

チューダー様式重厚で優美な雰囲気に酔う

赤坂プリンスクラシックハウス

no.42

Kunaisho
Takumiryo

1930

宮内省内匠寮／RC造 2階、地下1階

1

宮内省内匠寮《たくみりょう》によって設計された洋館。つまり日本の西洋建築の押しも押されもせぬ正統です。古代8世紀の律令制からの由緒ある名前を受け継ぎながら、明治に入ると国の威信をかけて、西洋の設計と施工の技を取り入れる部署となります。皇居も迎賓館も御用邸も全部、内匠寮の仕事。

イギリスをお手本としたチューダー・ゴシックも皇族や華族邸宅の定番。変化に富んだインテリアは戦前という様式建築の最終章の輝きの証です。梨《なし》本宮方子《もとみやまさこ》女王と結婚した大韓帝国最後の皇太子・李垠《りぎん》に与えられ、戦後にこの地を継承したプリンスホテルの手で、今も夢見る空間であり続けています。

1. 重厚で優美な階段。花をモチーフにした青い焼き物がはめ込まれている。
2. 2016年に建設当時の資料などを基に照明器具や外壁などの主要部分を当時の状態に復原し、「赤坂プリンスクラシックハウス」としてオープンした。
3. 館内全体に使われているねじり柱のモチーフは階段にも。

Data

[レストラン] ランチ＝11:30～14:00（週末11:00～14:00）、カフェ＝11:30～17:00、ディナー＝17:30～22:00（週末17:30～22:30） ※営業時間は変更する可能性あり。

Access

東京都千代田区紀尾井町1-2東京ガーデンテラス紀尾井町内／東京メトロ有楽町線・半蔵門線・南北線「永田町」（9-b）直結、銀座線・丸ノ内線「赤坂見附」（地下歩道D紀尾井町方面口）徒歩1分

2

1

チューダー様式が
色濃く現れる
意匠を探して

3

1. 階段室のステンドグラス。窓の形に、チューダー様式の特徴的なアーチが見られる。2.3.4. 表階段の立派な柱頭。細やかな装飾が目に入る。木工芸の技が随所に。5. 中庭に面したバルコニーにある壁泉。吐水口にはヤギの頭が。6. この壁の向こうは表階段。階段下に当たる場所にある空気抜きも、扁平なチューダー・アーチ型。

4

6

5

典雅に整えられた
客間で
贅沢なひとときを

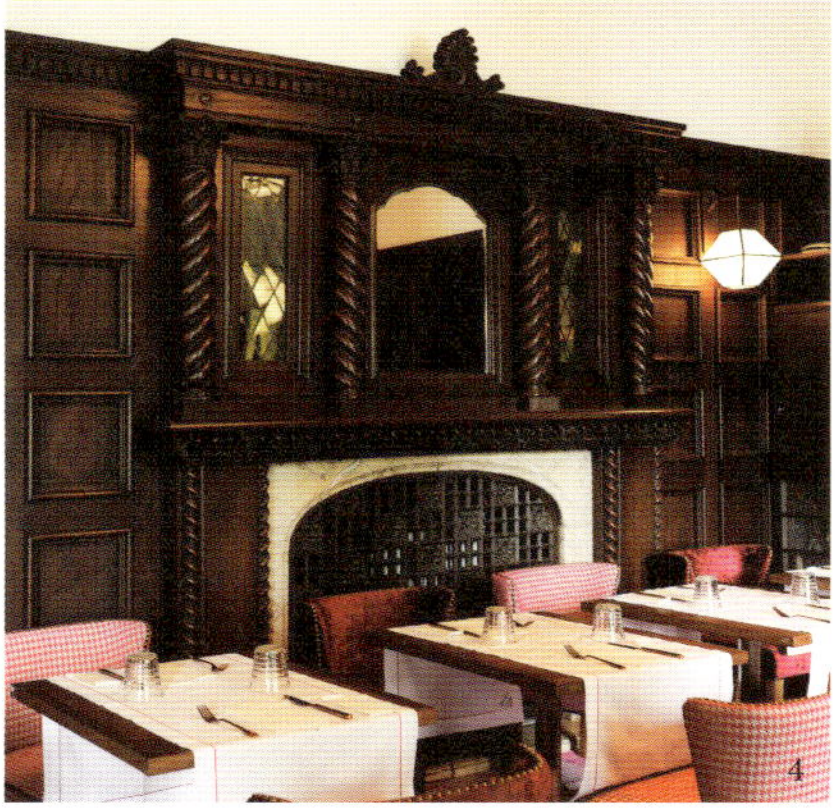

1.幾何学的なステンドグラスが優しい光を届ける。2.円形に張り出したカフェスペース。ほぼ白一色でまとめられ、イオニア式オーダーを含む列柱が並ぶ、他の部屋と異なるインテリア。3.華やかながら重厚感もある絨毯や布張りの椅子、照明は、すべてリニューアルオープン時に設置された。奥の暖炉や壁、天井など、当時のものとの融合が見事。4.ねじり柱と扁平なアーチ。本邸の2大モチーフが融合された暖炉。

当時の様子を想像しながら
心ゆくまでさまよいたい

1

2

7

3

4

8

5

6

1.2階には待合室、会議室として利用できる部屋もある。大きな丸テーブル、壁の時計など、気品に溢れた佇まい。2.バルコニーに続く廊下。チューダー・アーチをくぐり抜けて外へ出る。3.壁紙や、アール・デコ調のランプなど調度品は建築に合わせて赤坂プリンスクラシックハウスの開業時にコーディネートされた。4.5.チューダー・ゴシックのペンダント型照明。格子天井とよくマッチしている。6.各部屋のドアも一つとして同じデザインがない。7.暖炉のある、ちょっとした小部屋。眠る前のひとときを過ごしたのだろうか。当時の様子を思い浮かべながら。8.階段室に臨む2階廊下。寄せ木張りの床がすっと伸びる。

流麗な扉の中に広がるドーム空間

聖徳記念絵画館

no.43

Masaaki Kobayashi

1926

小林政紹＋明治神宮造営局／RC造 平屋、地下1階

1

明治の初め、日本人は半円状のアーチという形を使えませんでした。それを横に伸ばしたかまぼこ型のヴォールトも、半球状のドームも。どれもレンガや石を積んで窓や天井を作る際に用いる形。ずっと木で建物を建てて来た日本では必要なかったのです。

これらの形が織りなす西洋的な空間を堪能できるのが聖徳記念絵画館。重々しいだけではなく、大正時代の建物らしい流麗さも見どころです。

その中で、堂本印象《いんしょう》、鏑《かぶら》木《き》清方《きよかた》ら錚々《そうそう》たる画家が、ドームを使えるまでになった明治の45年間を描いています。

1.中央ドームから左右に続くヴォールト状の展示室。明治の出来事を描いた洋画40点と日本画40点が左右に続く。2.明治天皇・昭憲皇太后の御聖徳を永く後世に伝えるために造営。外観は扁平に見えるドームや抑えられた装飾で、追悼の建築であることを思わせる。3.青山通りから伸びる一直線の道も見もの。

Data

開＝平常10:00〜16:30(最終入館16:00)、年末年始(12月29日〜1月3日)10:00〜16:00(最終入館15:30)、水曜休館※水曜日が祝日の場合は直後の平日は休館。都合により臨時休館する場合あり。

Access

東京都新宿区霞ヶ丘町1番1号／JR「信濃町」徒歩5分／都営地下鉄大江戸線「国立競技場」徒歩5分／東京メトロ銀座線・半蔵門線、都営大江戸線「青山一丁目」徒歩10分

印象的な装飾の扉を開けて
まばゆいばかりの別世界へ……

1

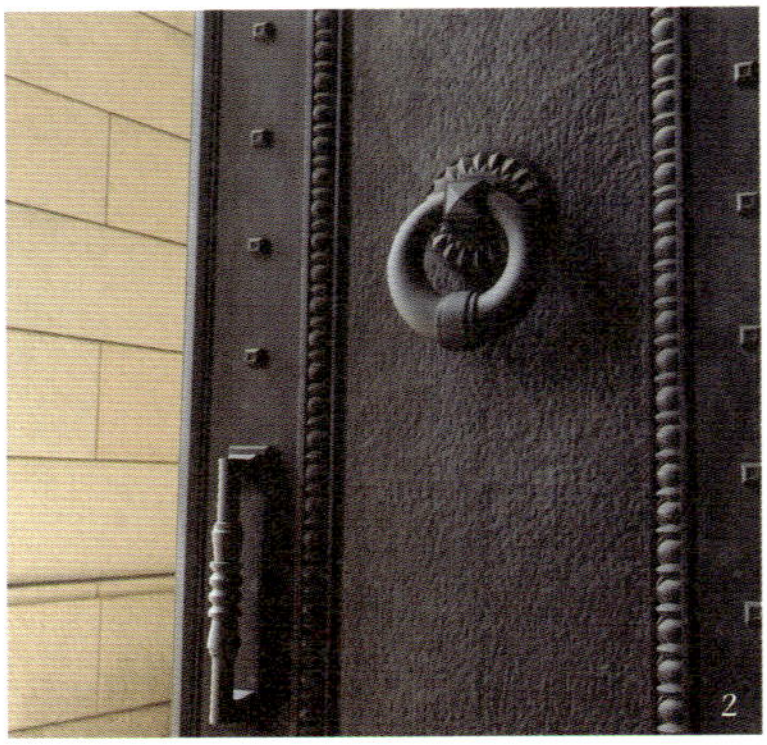

2

1.3. 扉の装飾は幾何学的でモダン。
2. 重々しい扉に、重厚なドアノッカー。
4. 見上げると、塗り分けられた淡いカーキとブルーが柔らかな印象。床からドームの最も高い所までは27.5mある。

3

1

2

3

4

5

6

1.2.3. 様式的細部と幾何学的な形とが巧みに織り交ぜられている。4. 平面化された装飾や金色のアクセントにはセセッション（P.68「学士会館」）の影響も。5. ほぼ色彩のみで美を表現したステンドグラス。6. 日本画室が淡いカーキ、西洋画室が淡いブルーとドームと同じ2色が天井に用いられ、共に採光のためにガラス天井が設けられている。さまざまな見方ができる絵画。建築でいうと、新橋駅や富岡製糸場も描かれている。

Tokyo Metropolitan Teien Art Museum

no.44

Henri Rapin,
Kunaisho
Takumiryo

1933

アンリ・ラパン＋宮内省内匠寮／RC造 3階、地下1階

ラパン、ラリック
アール・デコの
粋を集めて……

東京都庭園美術館

1

モダンの贅沢というものがあるのだと嘆息する邸宅です。実施設計は戦前の皇族関連の仕事を一手に引き受けた宮内省内匠寮《たくみりょう》[P.154]。

でも、他の邸宅と同じようにならなかったのは朝香宮《あさかのみや》允子《のぶこ》妃殿下がアール・デコを願ったため。なぜ知ったかというと、夫である鳩彦《やすひこ》殿下がフランス留学中に自動車事故に遭ったから。看病に向かったパリで1925年の現代装飾美術・産業美術国際博覧会（アール・デコ博）を訪問します。目にしたのは、これまでにない煌めきでした。

ラパンのインテリア、ラリックの工芸、内匠寮の実力が、様式とモダンの狭間で偶然のように出会っています。

2

3

1.定規やコンパスで描いた線、機械のような繰り返し、ガラスや金属の新しい輝き。未来に向かう創造性と、伝統的な美意識や工芸性とが融合したものがアール・デコ。第一次と第二次の世界大戦の間に花開き、工芸・建築・絵画・ファッションなどに幅広く影響を与えた。2.3.ガラスやブロンズと木工芸、幾何学と優美なライン。革新と伝統のバランスが象徴された階段。

Data

開=10:00〜18:00（入館は17:30まで）
休=毎週月曜日（祝日の場合は開館、翌日休館）、年末年始

Access

東京都港区白金台5-21-9／JR「目黒」（東口）、東急目黒線「目黒」（正面口）徒歩7分／都営地下鉄三田線、東京メトロ南北線「白金台」（1番出口）徒歩6分

3

4

5

6

1

2

1. 第一階段と一体の照明柱。2階に上がった先の広間を照らす。2. 大客室を彩るルネ・ラリック制作のシャンデリアは光の魔術。3.2階合の間の照明は、電球をむき出しにしながら優雅。担当した宮内省内匠寮の意匠力が分かる。4. 正面玄関の照明は和風を漂わせる。5. アンリ・ラパンが設計した食堂にはルネ・ラリック制作の照明器具「パイナップルとザクロ」。アーティストたちが協働した豊穣な食卓。6. 抽象絵画を思わせる第二階段のデザイン。7. アール・デコ博覧会で数々のパヴィリオンの企画やデザインを担当し、旧朝香宮邸に情熱を注いだアンリ・ラパン。次室では圧倒的な白磁の香水塔を自らデザインし、インテリアと一体化させた。8.40個の半球形の照明が大広間を照らす。単調に陥る危険性に踏み込み、回避するアール・デコの美学。

7

8

いたるところに
アール・デコの美学が舞う

3

4

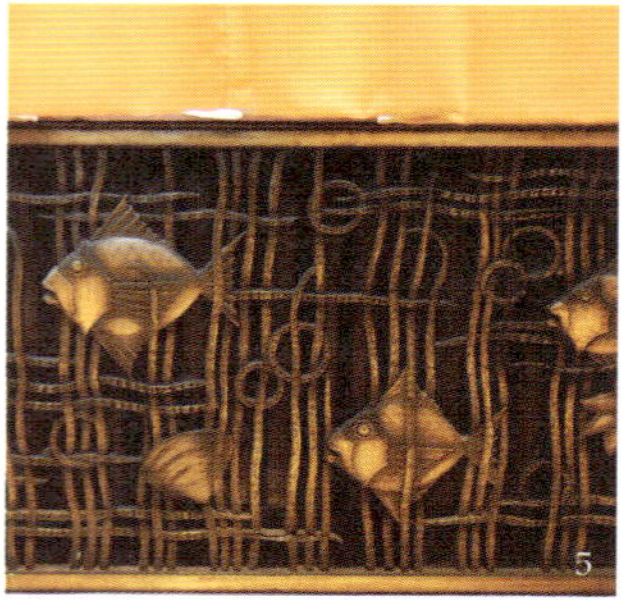

5

6

1

2

1.エッチングガラスをはめこんだ大客室の扉。ステンドグラス制作においてもフランスを代表する存在となったマックス・アングランの作。2.細かい天然石を集めて作られた床モザイク。3.4.5.各室で異なる暖房器カバーのデザインも見どころ。妃殿下が下絵を手がけ、制作されたものも。6.北側ベランダ（北の間）の床には陶器の釉薬を施した布目タイルがモザイク状に張られている。7.殿下、妃殿下の居室からのみ出入りできるご夫妻専用のベランダはひと際モダン。

Keio University Library Old Building, Mita Speech Museum

気品溢れる壮大な図書館と和洋折衷の館

慶應義塾図書館旧館・三田演説館

no.45

Sone & Chujo Architectual Office

1911
1875

[慶應義塾図書館旧館]
1911年／曾禰中條建築事務所／レンガ造 6階
[三田演説館] 1875年／木造 平屋

1

2

3

明治初めの三田演説館は、江戸時代からの大工や左官の技術で作った精いっぱいの洋風。創設者の福沢諭吉が日本に広めようとしたスピーチのための空間です。

37年後の図書館は、日本で学んだ最初の建築家の一人、曾禰《そね》達蔵《たつぞう》の設計。イギリスの大学を思わせる佇まいに、福沢諭吉がすすめた明治の「学問」の蓄積が実感できます。

自分の信じることを皆に問う演説館と、自分の信念を本との対話で磨く図書館。形は違いますが、どちらも内側で守ろうとしているのは個人の意思。ただ社会に作られるのではなく、一人一人から社会を築くようにしよう。そう願った福沢諭吉が建築に宿っているようです。

1.慶應義塾創設50年を記念して建てられた図書館。曾禰達蔵と中條精一郎が開設し、戦前に多くの優れた建築を手がけた曾禰中條建築事務所の最初の本格的な作品という意義も。2.イギリスやアメリカのキャンパスにならったゴシックのスタイル。3.玄関や窓は尖頭アーチ、壁の角には隅石(コーナーストーン)を配している。

Access

東京都港区三田2-15-45／JR「田町」徒歩8分／都営地下鉄浅草線・三田線「三田」徒歩7分、大江戸線「赤羽橋」徒歩8分

学徒たちへの
福沢諭吉の意志が宿る

1

2

3

4

5

1.2. 図書館旧館の向かいにある、塾監局の建物も鑑賞したい。図書館旧館と同じ曾禰中條建築事務所の設計で、1926年に建てられた。外壁はスクラッチタイルとテラコッタ。3. 三田演説館の網代組《あじろぐみ》透かし張りの天井。長崎のグラバー邸をはじめとした幕末・明治初期の洋風建築の特徴の一つ。4. 壁は並べた平瓦の目地に漆喰を盛り付けて塗ったなまこ壁。耐久性・耐火性に富むとして江戸時代から土蔵などに用いられた。5. 玄関の横材が微妙にカーブしてアーチ風。このデザインも幕末・明治初期の洋風建築でしばしば目にできる。左右には上げ下げ式の縦長窓。まるで人の顔のようでもある。

United Church of Christ in Japan, Azabu Nambuzaka Church

坂の上
尖塔がかわいい
ヴォーリズの
教会

日本基督教団
麻布南部坂教会

no.46

William Merrell Vories

1933

ウィリアム・メレル・ヴォーリズ／木造2階

Access

東京都港区南麻布4-5-6／東京メトロ日比谷線「広尾」（1番出口）徒歩3分

小さく、さりげない教会です。目を引く彫刻などありません。坂の風景になる佇まいと、人が集っていたいと思える内部を持っているだけです。

扉を開いても劇的な空間に出会えるわけではありません。使い込まれた長椅子、少し窪んだ壁には祭壇と、照らすのに十分なだけの光を取り込むステンドグラス。オルガンが横にちょこんと置かれています。聖書を学び、信仰を共有するにはこれで十分と言っているかのようです。

しばらくいると身体になじみます。棘の付いたような斜めの線が、細部から全体まで共通していることにも気づきます。設計の心配りが自然な世界を生んで、人の営みを支えます。主役ではなく、建築しか演じられない名脇役。教会、学校、百貨店と、人が集う場所の名手・ヴォーリズらしい仕事です。

1.南部坂に面した入り口。ゴシック様式を基調とした木造のシンプルなスタイル。2.壁からの飛び出しがゴシック建築の控え壁を思わせる。3.閑静な一角に建つ。南部坂の名は、江戸時代に今の有栖川宮記念公園の場所に奥州・南部藩の屋敷があったことから。4.扉の棘のような部分は一つ一つ丁寧に取り付けられている。

1

2

3

4

街並みになじむ
さりげなさが
ヴォーリズらしい

1. ステンドグラスのデザインも建築と一体になっている。2. 光を堂内に満たす白い壁。3. 中世のクラフトマンシップを連想させる2階手摺り。4. 過度の装飾のない実用性に重きを置いたデザイン。5. 露出された小屋組が空間の雰囲気を作る。角に材を追加してカーブしたアーチ状に見せるなど、細やかな配慮が織り込まれている。

5

Restaurant Raphael

no.47

1914

木造 平屋

格子窓に
歪みガラス
大正ロマンが
生きる邸宅

レストラン ラファエル

1

都心と郊外の間に、隠された場所がいろいろ眠っているのが東京の面白いところです。ここもその一つ。建物は鍋島藩の男爵の別邸として建てられたと言われます。部屋の中央に立つ柱が、和室の床柱のよう。柔らかな気品を感じさせる格天井とステンドグラス。改修を重ね、この場所にしっくりくる和洋折衷に落ち着いています。

現在は週に1日、月曜の昼のみの完全予約制のレストラン。週末はウェディング会場となります。取り揃えてある工具類で大抵の傷みは補修、庭木の剪定まで自分たちで行うというスタッフ。建物を無理なく使うために、このペースになったと言います。

緑豊かであくせくしてない大正時代の郊外を思わせる、素朴で、ゆったりと時が流れる空間です。

1. 閑静な住宅地から細い小道を抜けると玄関が待つ。知る人ぞ知る隠れ家。2. 玄関には数寄屋風の意匠。3. 内装や調度品など手を加えられながら今の形ができている。

Data

※現存せず。

Access

[旧所在地] 東京都渋谷区富ヶ谷1-30-24／小田急小田原線「代々木八幡」徒歩7分／東京メトロ千代田線「代々木公園」徒歩7分

和洋折衷に
大正ロマンが香る

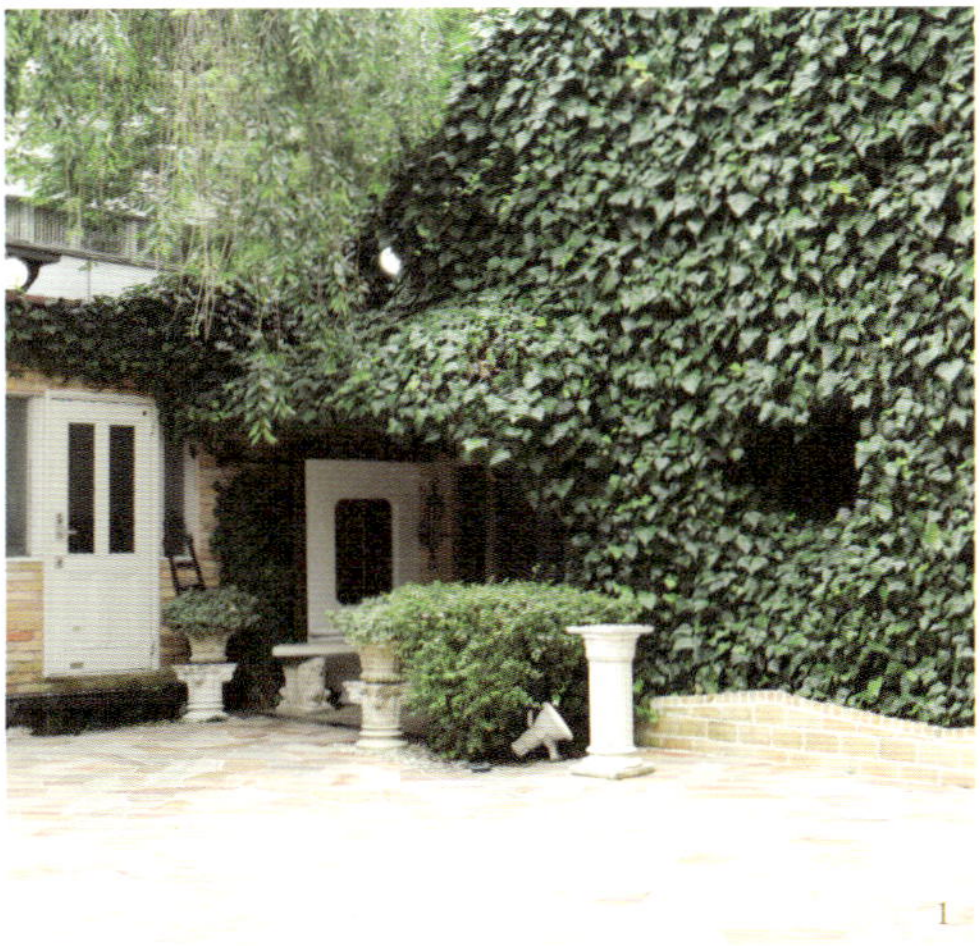

1

2

3

4

1.ツタで覆われた壁の上には空が広がり、鳥のさえずりも。2.ハート型に剪定されたツタ。3.緑に似合う気張らない造り。「田舎の家に来た気分になってほしい」と支配人は話す。4.歪んだガラスの縦長窓。玄関と主室の間に静かに視線を交わさせる。5.柔らかな気品を感じさせる格天井。6.和室の床柱を思わせる。7.くだけた和洋折衷が郊外だった頃の雰囲気を伝える。門出の場にもふさわしい、長く続く楽しみを湛えた建物。

6

5

7

The Museum of Zen Culture and History, Komazawa University

no.48

Eizo Sugawara

1928

菅原栄蔵／RC造 3階、
地下1階

ステンドグラスの光が差したかつての図書館

駒澤大学禅文化歴史博物館

1

フランク・ロイド・ライト［P.152］は世界中で有名。でも、彼の作風が一つのスタイルとして流行したのは日本だけ。帝国ホテルが開館すると、その流れを汲んだデザインが一世を風靡し、「ライト式」と一般に呼ばれます。

菅原栄蔵も「ライト式」で知られた一人。この旧図書館、完成当時の写真では一面の田園風景に建っています。

その中で、自然の原理に基づく折れ曲がる壁で地震に強くして、印象的な大空間で人間の領域を確保。「ライト式」と呼ばれることを嫌ったという菅原ですが、確かに彼が心酔した「ライトらしさ」は、表面の形以上に、その独立心だったのかもしれません。

Data

開＝月～金10:00～16:30（ただし入館は閉館15分前まで）／休＝土・日・祝、その他大学の定める休業日

Access

東京都世田谷区駒沢1-23-1／東急田園都市線「駒沢大学」（公園口）徒歩10分

1.常設展示室は、天井のステンドグラスから自然光が差し込む広々とした空間。2.ライト風の幾何学模様の意匠が施されている。3.図書館時代から使われているベンチや引き出し。4.外壁は、レンガに引っ掻いたようなラインを入れた、スクラッチタイル。

Takanawa Fire Department Nihonenoki Branch Office

no.49

1933

警視庁総監会計営繕係
／RC造３階、望楼付

地域を守る灯台のよう。モダンな消防署

高輪消防署二本榎出張所

Access

東京都港区高輪2-6-17／都営地下鉄浅草線「高輪台」(A2)徒歩7分

1

灯台のような丸い望楼。実際、昔は周囲に高い建物がなく、東京湾からも見えたと言います。消防には早期発見。江戸時代の火《ひ》の見櫓《みやぐら》からの伝統です。

新しいのは、形が建物にスムーズに繋がっていること。「灯台」の下は円形の講堂。角のカーブは2階にも続きます。講堂内部や階段の窓にも曲線が。建物全体を粘土で作り出したよう。

鉄筋コンクリート造の建物は、どろどろした素材を固めているのですから、原理的にはどんな形も可能。なら……と刺激されて、有機的な曲面を使ったのが「ドイツ表現主義」と呼ばれる建築です。この消防署も、そんな最新の流れを取り入れて完成しました。

しかし、この動きも１９１０〜２０年代の一瞬の灯火に。いつまでも行き着けない昔の夢のような懐かしさがあります。

1.円筒形の塔屋を形作る8つの梁。梁と梁の間には2面も窓が付き、採光は申し分ない。2.3.階段室もしっかりと光が入る造り。階段はゆるやかにカーブし、曲線の美しさを感じる。4.角地に建ち、曲面を強調した外観。

Waro Flat No.1, 2

戦前の最先端 夢が集う 集合住宅

和朗フラット 壱号館・弐号館

no.50

Bunzaburo Ueda

1935
~37

上田文三郎／木造 2階

Access

東京都港区麻布台3-3-26 及び 25
／東京メトロ南北線「六本木一丁目」
徒歩6分

1

戦前には珍しい洋風の賃貸集合住宅です。今も目を引くその姿は、農学者で建築や美術にも造詣が深かった上田文三郎が、アメリカ西海岸を旅した時に目にしたコロニアル住宅を参考に自分で設計したとのこと。１９３５年から１９３７年にかけて全部で５棟が建てられ、壱号館・弐号館・四号館の３棟が現役です。

「朗らかに、和やかに」という意味を持つ和朗フラット。どこか不器用な形に誘われます。ザラザラした漆喰の壁、フリーハンドで描いたようなアーチ、表面を荒く削って仕上げた木材。

おしゃべりしているようにさまざまな窓の形が、人々が変わりながら集まって暮らす楽しさを語ります。

1.出窓の窓枠、丸窓付きの扉など、何もかも当時としては珍しく、憧れの的だったことが窺える。2.格子窓と両開きの窓が交互に並ぶ。当時、居室は家具付きで、ベッド、テーブル、椅子、電気スタンド、ガスストーブが備え付けだったという。3.屋根のついたアーチが入り口に。4.ドアのデザインもそれぞれ違う。

コラム 4
いろんな照明

1.2.明治生命館 3.4.赤坂プリンスクラシックハウス 5.東京国立博物館・本館 6.7.鳩山会館 8.早稲田大学會津八一記念博物館 9.小笠原伯爵邸 10.11.カトリック築地教会

2

1

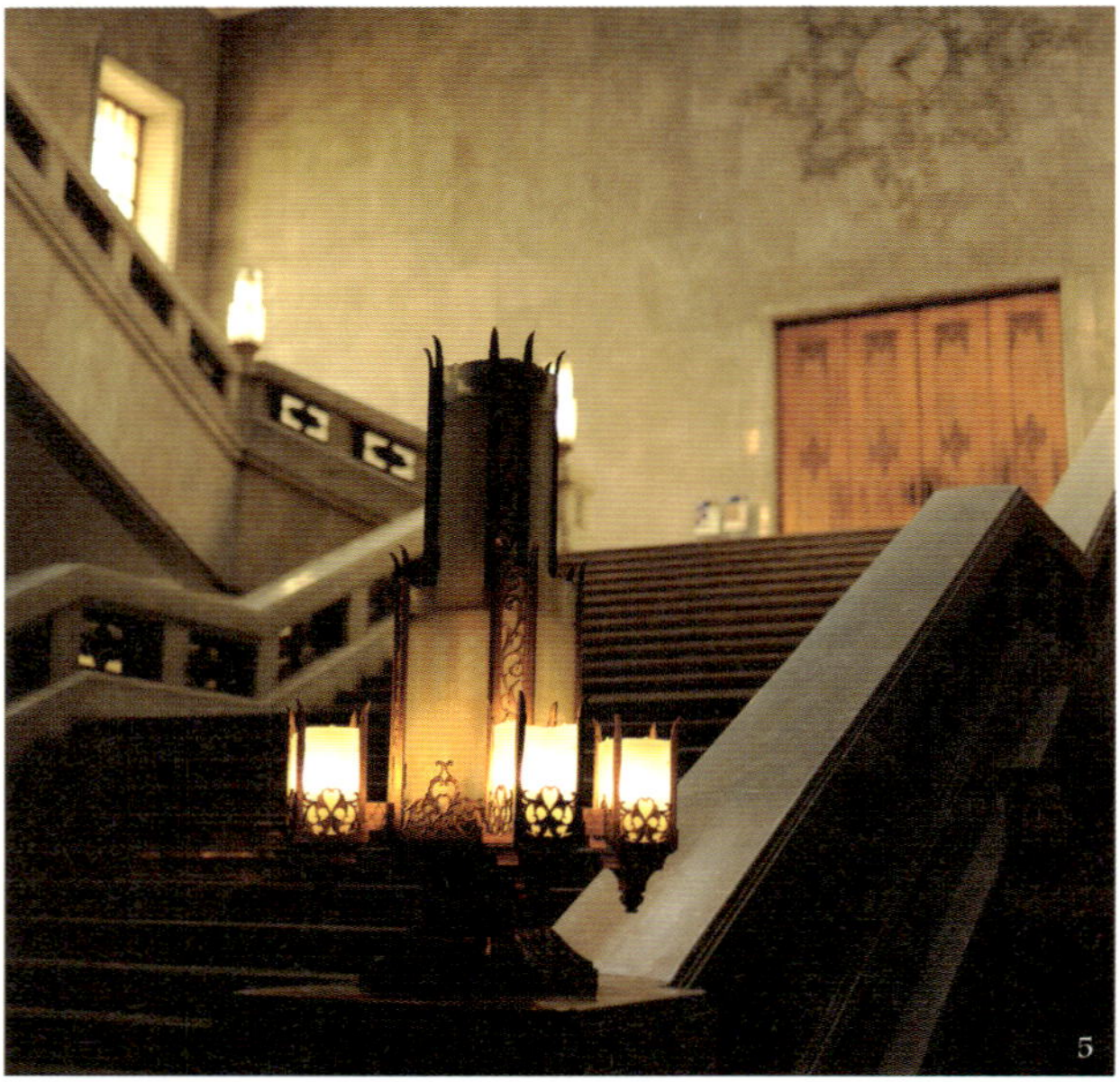

5

3

4

8

7

6

11

10

9

ウィリアム・メレル・ヴォーリズ

William Merrell Vories◎1880年、アメリカ・カンザス州に生まれる。1905年に滋賀県立商業学校の英語教師として来日。1907年に伝道活動のため教師を解職。以後、独自の伝道活動、建築活動を行う。1941年に日本国籍を取得し、一柳米来留と改名。終戦直後にマッカーサーと近衛文麿との仲介工作を行った功績も。1964年永眠。
[本書掲載＝日本基督教団麻布南部坂教会→P.178]

独学で建築を学び 企業家としても活躍

ウィリアム・メレル・ヴォーリズに対する評価の変転は、私たちに大事なことを教えてくれているように思います。

　ヴォーリズはキリスト教精神に基づいた「近江ミッション」を１９１１年に組織。賛同者を増やしました。

　前後して建築設計事務所を開設。１９５０年代までに実現した作品は、なんと８４１棟あまり。関西の教会や住宅だけでなく、大阪の御堂筋に面した《大丸心斎橋店》（１９２２〜３３）、京都・四条大橋で異彩を放つ《東華菜館》（１９２６）、東京の名ホテル《山の上ホテル》（１９３７）なども。他にない活躍です。

　さらに塗り薬のメンソレータム。ヴォーリズの創設した近江兄弟社が１９７４年まで国内での製造販売を行い、家庭常備薬として定着させました。

　伝道、建築設計、医薬品製造販売、すべてで成功を収めた稀有な人物・ヴォーリズ。

　彼は偉大なアマチュアでした。神学校に通ったことがなく、教団組織の伝導師ではありませんでした。少年の頃から憧れた建築の素養を持ちましたが、専門に学んだわけではありません。医薬品製造販売もアメリカのメンソレータム社の創業者がヴォーリズの活動に共鳴して日本代理店の権利を与えたもの。内的な必然性によって横断した活動が、最近までヴォーリズの位置付けを難しくしていました。

　建築に関して言えば、提供する側のプロでないことが、各所員の才能を発揮させ、自分が過ごしたいと思う場を内側から丁寧に作ることにつながります。だから、ヴォーリズの建築を訪れると、様式の分類を行うことや、全体の一貫性にうなることよりも、純粋に留まっていたいという気持ちが生まれます。

　30年前、ヴォーリズの名は建築の専門書にもほとんど登場しませんでした。それが今は有名になり、全国各地のファンによる「ヴォーリズ建築文化全国ネットワーク」が熱心な活動を展開しています。

　一時だけのプロではない、アマチュアだから見出せる良さがある。第二、第三のヴォーリズもきっといる。「レトロ建築」は現在進行形なのです。

年	建築（東京―東京以外―国外）※「†」は現存しないもの	社会の動き―建築界の動き	『東京レトロ建築さんぽ』『東京モダン建築さんぽ』掲載物件
1868［明治元年］	築地ホテル館（ブリジェンス＋清水喜助）†	江戸開城／神仏分離令／戊辰戦争（〜1869）	
69［2年］	新潟運上所（現・旧新潟税関庁舎）	東京・横浜間に電信開通	
1870［3年］	オスマンのパリ改造（1853〜1870）		
71［4年］	靖国神社高燈篭―横須賀製鉄所（ヴェルニー）†／泉布観（ウォートルス）	廃藩置県／郵便事業開始／シカゴ大火	
72［5年］	第一国立銀行（清水喜助）†／新橋停車場（ブリジェンス）†―富岡製糸場（バスチャン）	銀座大火／学制公布／新橋・横浜間に鉄道開通／福沢諭吉『学問のすゝめ』（〜1879）	
73［6年］	銀座煉瓦街（ウォートルス、〜1878）†	キリスト教解禁―工部省工学寮の造家学科に辰野金吾ら第1期生が入学	
74［7年］	為替バンク三井組（清水喜助）†／駅逓寮（林忠恕）†―パリのオペラ座（ガルニエ）		
75［8年］	見付学校（伊藤平左衛門）／睦沢学校（現・甲府市藤村記念館、松木輝殷）／中込学校（市川代治郎）／尾山神社神門（津田吉之助）		慶應義塾大学三田演説館（曾禰中條建築事務所）
76［9年］	開智学校（立石清重）／春米学校		東京医学校本館（現・東京大学総合研究博物館小石川分館）
77［10年］	常磐橋／華族学校正門（現・学習院女子大学正門）	西南戦争―工部省工学寮が工部大学校に改称／ジョサイア・コンドル来日／第1回内国勧業博覧会	
78［11年］	妙法寺鉄門―福住旅館萬翠楼／済生館本館／札幌農学校演武場（現・札幌市時計台）		
79［12年］	築地訓盲院（コンドル）†―三重県庁舎（清水義八）	工部大学校造家学科第1期生が卒業	
1880［13年］	豊平館（安達喜幸）／岩科学校（菊地丑太郎＋高木久五郎）	官営工場払い下げ概則	東京図書館書庫（現・東京芸術大学赤レンガ1号館、林忠恕）
81［14年］	上野博物館（後・東京帝室博物館、コンドル）†―水海道小学校（羽田甚蔵）／西田川郡役所（高橋兼吉＋石井竹次郎）	国会開設の勅諭	
82［15年］			
83［16年］	鹿鳴館（コンドル）†―伊達郡役所（山内幸之助）／新潟県議会議事堂（現・新潟県政記念館、星野総四郎）		
84［17年］	宝山寺獅子閣（吉村松太郎）／鶴岡警察署庁舎（高橋兼吉）／同志社大学彰栄館（グリーン）	コンドルに代わり辰野金吾が工部大学校教授に	
85［18年］	銀行集会所（辰野金吾）†―東山梨郡役所（赤羽芳造）		
86［19年］		造家学会創設／工部大学校が新たに設立された帝国大学工科大学に改組／エンデ・ベックマン事務所が官庁集中計画を作成	東京図書館書庫（現・東京芸術大学赤レンガ2号館、小島憲之）
87［20年］			
88［21年］	明治宮殿†／渋沢栄一邸（辰野金吾）†―北海道庁本庁舎（平井晴次郎）／登米高等尋常小学校校舎（現・教育資料館）		
89［22年］	明治学院インブリー館／歌舞伎座（高原弘造）†―エッフェル塔（エッフェル）	大日本帝国憲法公布―東京美術学校開校	

1890［23年］	帝国議会仮議事堂（吉井茂則）†／帝国ホテル（渡辺譲）†／東京音楽学校本館（現・奏楽堂、山口半六＋久留正道）／凌雲閣（バルトン）†	第1回帝国議会―丸の内一帯の土地を三菱に払い下げ	
91［24年］	ニコライ堂／日本水準原点標庫（佐立七次郎）	濃尾地震	
92［25年］			
93［26年］	シカゴ万国博覧会日本館「鳳凰殿」†／タッセル邸（オルタ）		
94［27年］	東京府庁舎（妻木頼黄）†／三菱一号館（コンドル）†―帝国奈良博物館（現・奈良国立博物館なら仏像館、片山東熊）―ギャランティ・ビル（サリヴァン＋アドラー）	日清戦争（〜1895）	
95［28年］	深川不動燈明塔（佐立七次郎）―帝国京都博物館（現・京都国立博物館明治古都館、片山東熊）／平安神宮（木子清敬＋伊東忠太）―リライアンス・ビル（バーナム＋ルート）	第4回内国勧業博覧会が京都で開催	司法省庁舎（現・法務省旧本館、エンデほか）
96［29年］	日本銀行本店本館（辰野金吾）／新宿御苑旧洋館御休所（片山東熊）		岩崎久彌邸（現・旧岩崎家住宅洋館、コンドル）
97［30年］		ウィーン分離派結成／造家学会を建築学会に改称（現・日本建築学会）／古社寺保存法制定（〜1929）	
98［31年］	ゼツェッション館（オルブリッヒ）／田園都市（ハワード）		
99［32年］	東京商業会議所（妻木頼黄）†／日本勧業銀行（妻木頼黄＋武田五一）†―武徳殿（松室重光）―カールスプラッツ市電駅舎（ワーグナー）		
1900［33年］			
01［34年］	山形師範学校本館（現・山形県立博物館分館教育資料館）		
02［35年］	乃木希典邸（北沢虎造）―フラットアイアン・ビル（バーナム）	日英同盟締結	
03［36年］	日本銀行大阪支店（辰野金吾）―ヒル・ハウス（マッキントッシュ）	第5回内国勧業博覧会が大阪で開催／日本にアール・ヌーボーが紹介される	
04［37年］	横浜正金銀行本店（現・神奈川県立歴史博物館、妻木頼黄）／大阪図書館（現・大阪府立中之島図書館、野口孫市＋日高胖、1922年に第2期工事）／京都府庁（現・京都府庁旧本館、松室重光）―フランクリン街のアパート（ペレ）	日露戦争（〜1905）	
05［38年］	横浜銀行集会所（遠藤於菟）†		
06［39年］	帝国図書館（現・国際子ども図書館、久留正道、1929年に第2期工事）―日本銀行京都支店（現・京都文化博物館別館、辰野金吾）／日本郵船小樽支店（佐立七次郎）―郵便貯金局（ワーグナー）		
07［40年］	福島行信邸（武田五一）†／仁風閣（片山東熊）／日本聖公会京都聖約翰教会堂（ガーディナー）	ドイツ工作連盟結成	マッケーレブ邸（現・雑司が谷旧宣教師館）
08［41年］	岩崎家高輪別邸（現・開東閣、コンドル）―天鏡閣		東京国立博物館表慶館（片山東熊）
09［42年］	東宮御所（現・迎賓館赤坂離宮、片山東熊）／丸善書店（田辺淳吉＋佐野利器）†―AEGタービン工場（ベーレンス）／ロビー邸（ライト）		学習院図書館（現・学習院大学史料館、久留正道）
1910［43年］	近衛師団司令部庁舎（現・東京国立近代美術館工芸館）―小寺家厩舎（河合浩蔵）―カサ・ミラ（ガウディ）	ライト作品集がヨーロッパで反響	

11[44年]	帝国劇場(横河工務所)†/竹田宮邸(現・グランドプリンスホテル高輪貴賓館、片山東熊)—三井物産横浜支店(現・KN日本大通ビル、遠藤於菟)—ロースハウス(ロース)		慶應義塾大学図書館(現・図書館旧館、曾禰中條建築事務所)
12[明治45年/大正元年]	真宗信徒生命保険会社本社社屋(現・西本願寺伝道院、伊東忠太)		万世橋駅(現・マーチエキュート)
13[2年]	綱町三井倶楽部(コンドル)/学習院皇族寮(現・学習院大学東別館、宮内省内匠寮)—北投温泉公衆浴場(現・温泉博物館、森山松之助)—ウールワース・ビル(ギルバード)		
14[3年]	東京駅丸の内駅舎(辰野金吾)—ドイツ工作連盟展(グロピウス+タウトほか)†/新都市案(サンテリーア)/ドミノ・システム(コルビュジエ)	第一次世界大戦勃発(〜1918)—東京大正博覧会が上野で開催	日本橋三越本店(横河工務所)/鍋島藩男爵別荘(現・レストランラファエル)
15[4年]	島津忠重邸(現・清泉女子大学本館、コンドル)/求道会館(武田五一)—大谷派本願寺函館別院(伊藤平左衛門)		旧豊多摩監獄表門(後藤慶二ほか)
16[5年]	明治学院礼拝堂(ヴォーリズ)/誠之堂(田辺淳吉、埼玉県深谷市に移築)←台南州庁(現・国立台湾文学館、森山松之助)		
17[6年]	古河邸(現・旧古河庭園洋館、コンドル)/日本基督教団安藤記念教会(吉武長一)—横浜市開港記念会館—工業都市計画案(ガルニエ)	ロシア革命—フランク・ロイド・ライトとアントニン・レーモンドが帝国ホテル設計のために来日	晩香廬(田辺淳吉)
18[7年]	東京海上ビルディング(曾禰達蔵)†—大阪市中央公会堂(岡田信一郎ほか)	米騒動	日本基督教団麻布南部坂教会(ヴォーリズ)/立教大学第一食堂(マーフィー&ダナ建築事務所)
19[8年]	旧朝倉家住宅	ヴェルサイユ条約調印—バウハウス開校(〜1933/市街地建築物法・都市計画法公布(軒高100尺制限))	根津教会(メイヤー)
1920[9年]	日本工業倶楽部会館(横河工務所)—第三インターナショナル記念塔計画案(タトリン)	国際連盟発足・加盟—分離派建築会が堀口捨己、山田守、石本喜久治らによって結成	
21[10年]	明治神宮宝物殿(大江新太郎)/松方正熊邸(現・西町インターナショナルスクール、ヴォーリズ)—ガラスの摩天楼案(ミース)		自由学園明日館(ライト、〜1925)
22[11年]	東京會舘(田辺淳吉)†/石丸助三郎邸(現・ラッセンブリ広尾、西村伊作)—大丸心斎橋店(ヴォーリズ、〜1933)†	ソビエト社会主義共和国連邦成立—平和記念東京博覧会開催	
23[12年]	帝国ホテル(ライト)†/丸の内ビルヂング(桜井小太郎)†—ストックホルム市庁舎(エストベリ)	関東大震災	
24[13年]	歌舞伎座(岡田信一郎)†/星薬科大学本館(レーモンド)—山邑太左衛門別邸(現・ヨドコウ迎賓館、ライト)/本野精吾自邸(本野精吾)—シュレーダー邸(リートフェルト)/アインシュタイン塔(メンデルゾーン)	同潤会設立(〜1941)	鳩山一郎邸(現・鳩山会館、岡田信一郎)
25[14年]	東京中央電信局(山田守)†/文化アパートメント(ヴォーリズ)†/東京大学安田講堂(内田祥三+岸田日出刀)—シカゴ・トリビューン本社ビル(ハウエル+フッド)	パリ万国博覧会(アール・デコ博)開催	青淵文庫(現・渋沢史料館、田辺淳吉)/早稲田大学図書館(現・會津八一記念館、今井兼次)
26[大正15年/昭和元年]	同潤会青山アパートメント(〜1927)†/内藤多仲邸(現・早稲田大学内藤多昭和元年仲博士記念館、木子七郎+内藤多仲)—住友ビルディング(住友合資会社工作部、〜1930)—バウハウス校舎(グロピウス)		月島警察署西仲通交番(現・警視庁月島警察署西仲町通り地域安全センター)/聖徳記念絵画館(小林政紹)

27［2年］	早稲田大学大隈講堂（佐藤功一＋佐藤武夫）／一橋大学兼松講堂（伊東忠太）—ドイツ工作連盟住宅展ヴァイセンホーフ・ジードルンク（ミース＋コルビュジエほか）	金融恐慌／上野・浅草間に地下鉄開通	カトリック築地教会（ジロリアス神父ほか）／BORDEAUX†／小笠原伯爵邸（曾禰中條建築事務所）
28［3年］	黒田記念館（岡田信一郎）／大倉集古館（伊東忠太）—片倉館（森山松之助）／聴竹居（藤井厚二）—ストックホルム市立図書館（アスプルンド）	CIAM（近代建築国際会議）結成（〜1956）	旧東京市営店舗向住宅／学士会館（高橋貞太郎ほか）／早稲田大学演劇博物館（今井兼次）、山本歯科医院／駒澤大学図書館（現・禅文化歴史博物館、菅原栄蔵）
29［4年］	日比谷公会堂・市政会館（佐藤功一）／三井本館／泰明小学校／三信ビル（横河工務所）†	世界恐慌／国宝保存法制定（〜1950）	日本基督教団本郷中央教会（ヴォーゲルほか）／目白聖公会聖シプリアン聖堂（坪井正太郎）、忍旅館（現・上田邸）／学生下宿日本館／村林ビル（大林組）
1930［5年］	日本橋野村ビル（現・野村證券日本橋本社ビル、安井武雄）／震災記念堂（現・東京都慰霊堂、伊東忠太）—トゥーゲンハット邸（ミース）	昭和恐慌	陸軍東京第一造兵廠（現・中央公園文化センター）／ヨネイビルディング（森山松之助）／李王家東京邸（現・赤坂プリンスクラシックハウス、宮内省内匠寮）
31［6年］	東京中央郵便局（吉田鉄郎）†／森五商店東京支店（現・近三ビルヂング、村野藤吾）—サヴォア邸（コルビュジエ）／クライスラー・ビル（アレン）	満州事変—アテネ憲章	大洋商会丸石ビル（山下寿郎）／黒沢ビル（石原曄一）
32［7年］	服部時計店（現・和光、渡辺仁）／東京工業大学水力実験室（谷口吉郎）†—大倉精神文化研究所（長野宇平治）／木村産業研究所（前川國男）	五・一五事件	堀ビル（公保敏雄ほか）／銀座アパート（現・奥野ビル、川元良一、〜1934）
33［8年］	明治屋京橋ビル（曾禰中條建築事務所）／清洲寮（大林組）—大阪ガスビルディング（安井武雄）／神戸女学院大学（ヴォーリズ）	ヒトラー政権成立／日本が国際連盟脱退—ブルーノ・タウト来日（〜1936）	朝香宮邸（現・東京都庭園美術館、ラパンほか）／日本橋高島屋（片岡安ほか）／高輪消防署二本榎出張所／桃乳舎／トイスラー記念館（バーガミニ）／日本基督教団麻布南部坂教会（ヴォーリズ）
34［9年］	築地本願寺（伊東忠太）／四谷第五小学校（現・吉本興行東京本部）—琵琶湖ホテル（現・びわ湖大津館、岡田信一郎）		明治生命本社ビル（現・明治生命館、岡田信一郎）／さかえビル
35［10年］	東京中央卸売築地市場†／土浦亀城自邸（土浦亀城）／東京大学工学部1号館（内田祥三）		山二片岡商店（現・山二証券、西村好時）／和朗フラット（上田文三郎、〜1937）
36［11年］	帝国議会議事堂（現・国会議事堂）／吉屋信子邸（吉田五十八）†—日向別邸（タウト）	二・二六事件	聖路加国際病院聖ルカ礼拝堂（バーガミニ）／山二証券株式会社（西村好時）
37［12年］	慶應義塾幼稚舎（谷口吉郎＋曾禰中條建築事務所）／佐藤新興生活館（現・山の上ホテル、ヴォーリズ）—宇部市民館（現・宇部市渡辺翁記念会館、村野藤吾）／パリ万博日本館（坂倉準三）†	日中戦争開始（〜1945）	東京帝室博物館本館（現・東京国立博物館本館、渡辺仁ほか）／東京神学校（東京ルーテルセンタービル、長谷部鋭吉）
38［13年］	第一生命館（現・DNタワー21、渡辺仁＋松本与作）／東京逓信病院（山田守）†—愛知県庁舎		
39［14年］	小石川植物園本館（内田祥三）—松島パークホテル（吉田五十八）†／大阪中央郵便局（吉田鉄郎）†／滋賀県庁舎（佐藤功一）—落水荘（ライト）	第二次世界大戦勃発（〜1945）	
1940［15年］	岸記念体育会館（前川國男）†—ロックフェラー・センター（フッドほか）	日独伊三国軍事同盟成立	
41［16年］	林芙美子邸（現・林芙美子記念館、山口文象）	太平洋戦争（〜1945）—住宅営団設立（〜1946）	
42［17年］	前川國男自邸（前川國男）	ミッドウェー海戦	
43［18年］			

44［19年］		日本本土空襲（～1945）	
45［20年］	岩国徴古館（佐藤武夫）	ドイツ降伏／広島・長崎に原爆投下／終戦	
46［21年］		日本国憲法公布／国際連合発足	
47［22年］	紀伊國屋書店（前川國男）†—ジオデシック・ドーム（フラー）		
48［23年］		建設省発足	
49［24年］	慶應義塾大学4号館（谷口吉郎）†—大阪スタヂアム（坂倉準三）†—イームズ邸（イームズ）	ドイツ分裂／中華人民共和国成立—建設業法公布	
1950［25年］	目白が丘教会（遠藤新）／立体最小限住居（池辺陽）†—八勝館御幸の間（堀口捨己）	朝鮮戦争（～1953）—建築基準法公布／住宅金融公庫法公布／文化財保護法制定	
51［26年］	リーダーズダイジェスト東京支社（レーモンド）†—神奈川県立近代美術館本館（坂倉準三）／志摩観光ホテル（村野藤吾、～1983）—レイクショア・ドライブ・アパートメント（ミース）／ファンズワース邸（ミース）	サンフランシスコ講和条約・日米安保条約調印	東京日仏学院（現・アンスティチュ・フランセ東京、坂倉準三）
52［27年］	日本相互銀行本店（前川國男）†／日本橋高島屋増築（村野藤吾、～1965）／日活国際会館（竹中工務店）†—マルセイユのユニテ・ダビタシオン（コルビュジエ）／レヴァー・ハウス（SOM）／国際連合本部ビル（ハリソンほか）		
53［28年］	法政大学53年館（大江宏）†		
54［29年］	丹下健三自邸（丹下健三）†／私の家（清家清）—神奈川県立図書館・音楽堂（前川國男）／世界平和記念聖堂（村野藤吾）	高度経済成長（～1973）—ヴァルター・グロピウス来日	
55［30年］	吉阪隆正自邸（吉阪隆正）†—ロンシャンの礼拝堂（コルビュジエ）／チャンディーガルのキャンピトル・コンプレックス（コルビュジエ、～1962）	日本住宅公団設立／ル・コルビュジエ来日	国際文化会館（坂倉準三ほか）
56［31年］	東急文化会館（坂倉準三）†—秩父セメント第二工場（谷口吉郎＋日建設計工務、～1958）／福島県教育会館（MIDO同人）／ヴェネツィア・ビエンナーレ日本館（吉阪隆正）—ブラジリア都市計画（ニーマイヤー、～1960）	国際連合に日本が加盟—チームX（テン）結成（～1966）	カトリック目黒教会（レーモンド）
57［32年］	東京都庁舎（丹下健三）†／読売会館（現・ビックカメラ有楽町店、村野藤吾）／ヴィラ・クゥクゥ（吉阪隆正）		東京都立日比谷図書館（現・千代田区立日比谷図書文化館、東京都建築局）／霞ヶ関電話局（現・NTT霞ヶ関ビル、日本電信電話公社）
58［33年］	東京タワー（日建設計工務＋内藤多仲）／スカイハウス（菊竹清訓）—香川県庁舎（現・香川県庁舎東館、丹下健三）—シーグラム・ビル（ミース）		
59［34年］	世田谷区民会館・区役所（前川國男、～1960）—大多喜町役場（今井兼次）／羽島市庁舎（坂倉準三）—グッゲンハイム美術館（ライト）	キューバ危機／安保闘争（～1960）／1964年の東京オリンピック開催が決定	国立西洋美術館（ル・コルビュジエ）／千鳥ヶ淵戦没者墓苑（谷口吉郎）
1960［35年］	五島美術館（吉田五十八）—大和文華館（吉田五十八）／名古屋大学豊田講堂（槇文彦）—ラ・トゥーレットの修道院（コルビュジエ）	日米新安保条約調印／国民所得倍増計画／ヴェトナム戦争（～1975）—世界デザイン会議／メタボリズム・グループ結成	
61［36年］	東京計画1960（丹下健三）—群馬音楽センター（レーモンド）／塩野義製薬研究所（坂倉準三）†	軒高31m制限を撤廃し容積率規制を導入／アーキグラム結成	東京文化会館（前川國男）／日比谷電電ビル（現・NTT日比谷ビル、日本電信電話公社）

62［37年］	ホテルオークラ本館（谷口吉郎ほか）†—軽井沢の山荘（吉村順三）／山口銀行本店（圓堂政嘉）／大分県庁舎（建設省九州地方建築局）—ジョン・F・ケネディ国際空港TWAターミナル（サーリネン）	キューバ危機	アテネ・フランセ（吉阪隆正）
63［38年］	三愛ドリームセンター（日建設計工務）—レスター大学工学部（スターリング）	第1次マンションブーム（〜1964）	新東京ビル（三菱地所）／日本生命日比谷ビル・日生劇場（村野藤吾）
64［39年］	国立代々木競技場第一・第二体育館（丹下健三）／日本武道館（山田守）／武蔵野美術大学鷹の台キャンパス（芦原義信）—東光園（菊竹清訓）	東京オリンピック開催／東海道新幹線開通	秀和青山レジデンス（芦原義信）／ビラ・ビアンカ（堀田英二）／カトリック東京カテドラル関口教会（丹下健三）／紀伊國屋ビルディング（前川國男）／駒沢オリンピック公園体育館・管制塔（芦原義信）／駒沢陸上競技場（村田政眞）
65［40年］	大学セミナーハウス（現・八王子セミナーハウス、吉阪隆正）／コープオリンピア（清水建設）—香川県文化会館（大江宏）	1970年の大阪万博開催が決定—イコモス設立	
66［41年］	国立劇場（竹中工務店）／中野ブロードウェイ—国立京都国際会館（大谷幸夫）／大分県立大分図書館（現・大分市アートプラザ、磯崎新）	中国で文化大革命（〜1976）／ビートルズ来日	国際ビル・帝国劇場（谷口吉郎ほか）、パレスサイドビルディング（日建設計工務）／新橋駅前ビル1・2号館（佐藤武夫）／有楽町ビル（三菱地所）／千代田生命本社ビル（現・目黒区総合庁舎、村野藤吾）／新宿西口広場（坂倉準三）／日本基督教団東京山手教会（RIA＋毛利武信）
67［42年］	塔の家（東孝光）／猪俣邸（吉田五十八）／秀和外苑レジデンス—アビタ67団地（サフディ）		静岡新聞・静岡放送東京支社ビル（丹下健三）／新有楽町ビル（三菱地所）／ゆかり文化幼稚園（丹下健三）
68［43年］	霞が関ビル（三井不動産＋山下設計）／東京国立博物館東洋館（谷口吉郎）／普連土学園（大江宏）—成田山新勝寺大本堂（吉田五十八）	大学紛争激化（〜1969）—文化財保護委員会と文部省文化局を統合して文化庁設置／第2次マンションブーム（〜1969）	乃木會館（大江宏）／安与ビル（明石信道）／国立国会図書館（MID同人ほか）
69［44年］	一番館（竹山実）／青山タワービル（吉村順三）—岸信介邸（現・東山旧岸邸、吉田五十八）	東大安田講堂で学生と機動隊衝突	代官山ヒルサイドテラス（第1期、槇文彦）／珈琲ロン（池田勝也）／満願寺（吉田五十八）
1970［45年］	第3スカイビル（現・GUNKAN東新宿ビル、渡邊洋治）—桜台コートビレジ（内井昭蔵）／佐賀県立博物館（高橋靗一＋内田祥哉）	日本万国博覧会（大阪万博）開催—軒高31m制限を全廃し容積率規制に移行	
71［46年］	外務省飯倉公館・外交史料館（吉田五十八）／ポーラ五反田ビル（日建設計）—北海道開拓記念館（現・北海道博物館、佐藤武夫）		ニュー新橋ビル（松田平田坂本設計事務所）／ビラ・セレーナ（坂倉建築研究所）
72［47年］	ビラ・フレスカ（坂倉建築研究所）／ビラ・グロリア（大谷研究室）—反住器（毛綱毅曠）	沖縄返還／日本列島改造論／あさま山荘事件—第3次マンションブーム（〜1973）	ヤクルト本社ビル（圓堂政嘉）／中銀カプセルタワービル（黒川紀章）、東京讃岐会館（現・東京さぬき倶楽部、大江宏）／宮崎県東京ビル（坂倉建築研究所）／三越シルバーハウス（現・駒澤大学深沢キャンパス洋館、吉田五十八）
73［48年］	所沢聖地霊園礼拝堂・納骨堂（池原義郎）—シドニー・オペラハウス（ウツソン＋アラップ）／ワールドトレードセンター（ヤマサキ）†	第一次オイルショック	代官山ヒルサイドテラス（第2期、槇文彦）／カーサ相生（中野組設計部）
74［49年］	最高裁判所（岡田新一）／東京海上ビルディング（現・東京海上日動ビルディング、前川國男）／新宿住友ビルディング（日建設計）／新宿三井ビルディング（三井不動産＋日本設計）／原邸（原広司）	国土庁設置	ビラ・モデルナ（坂倉建築研究所）
75［50年］	東京都美術館（前川國男）—福岡銀行本店（黒川紀章）	ベトナム戦争終結	フロムファーストビル（山下和正）
76［51年］	中野本町の家（伊東豊雄）†／駐日アメリカ合衆国大使館（ペリ）—住吉の長屋（安藤忠雄）	ロッキード事件	麹町ダイビル（村野藤吾）

倉方俊輔

Shunsuke Kurakata◎東京都生まれ。大阪公立大学教授。建築史の研究に加え、建築公開イベント「イケフェス大阪」「京都モダン建築祭」の実行委員など、建築と社会を近づけるべく活動中。『神戸・大阪・京都レトロ建築さんぽ』(小社刊)、『京都 近現代建築ものがたり』(平凡社)、『みんなの建築コンペ論』(共著・NTT出版)など著書多数。

下村しのぶ

Shinobu Shimomura◎アートプラザ1000(現エクセル)退社後、塗師岡弘次氏に師事。1997年独立。2007年カナリアフォトスタジオ設立。好きなレトロ建築は、明治生命館。雑誌、書籍、広告等で幅広く活躍。写真展も定期的に開催。共著に『神戸・大阪・京都レトロ建築さんぽ』(小社刊)、写真集に『おばあちゃん猫との静かな日々』(宝島社)がある。

東京レトロ建築さんぽ 増補改訂版

2022年10月20日 初版第1刷発行
2025年 1 月24日 第3刷発行

著者 倉方俊輔

発行者 三輪浩之

発行所 株式会社エクスナレッジ
〒106-0032
東京都港区六本木7-2-26
https://www.xknowledge.co.jp/

問い合わせ先 編集
Tel 03-3403-6796
Fax 03-3403-0582
info@xknowledge.co.jp

販売
Tel 03-3403-1321
Fax 03-3403-1829